Prime Numbers P.1

Q1 a) 2
b) eg 23 or 37
c) eg 13 or 17
d) eg 13 and 7 or 17 and 3
e) eg 1 or 21

Q2 2, 3, 5, 7, 11, 13, 17, 19, 23, 29

Q3 41, 43, 47

Q4

1	②	③	4	⑤	6	⑦	8	9	10
⑪	12	⑬	14	15	16	⑰	18	⑲	20
21	22	㉓	24	25	26	27	28	㉙	30
㉛	32	33	34	35	36	㊲	38	39	40
㊶	42	㊸	44	45	46	㊼	48	49	50
51	52	㊺	54	55	56	57	58	㊾	60
㊽	62	63	64	65	66	㊿	68	69	70
⑦	72	⑦	74	75	76	77	78	⑦	80
81	82	⑧	84	85	86	87	88	⑧	90
91	92	93	94	95	96	⑨	98	99	100

Q5 eg 11, 13, 17, 31, 71, or 73

Q6 499

Q7 27 is divisible by 3

Q8 2 is the only even prime number.

Q9 Judo and kendo as 29 and 23 are prime.

Q10 eg 2+3+5=10, 5+11+13=29, 11+13+17=41

Multiples, Factors and Prime Factors P.2–3

Q1 a) 3, 5, 17, 23
b) 6, 36, 42
c) 1, 3, 4, 6

Q2 63: 1, 3, 7, 9, 21, 63
80: 1, 2, 4, 5, 8, 10, 16, 20, 40, 80
120: 1, 2, 3, 4, 5, 6, 8, 10, 12, 15, 20, 24, 30, 40, 60, 120
220: 1, 2, 4, 5, 10, 11, 20, 22, 44, 55, 110, 220

Q3 eg: 10 = 3 + 7
20 = 7 + 13
30 = 7 + 23

Q4 a) 20 is the HCF of 520 and 300
$15 \times 26 = 390$ tiles
b) $390 \div 20 = 19 \cdot 5$
So Sally buys 20 packs of tiles.
c) 10 tiles

Q5 a) 1
b) 1, 3
c) 1, 3, 5, 15
d) 1, 2, 4, 5, 10, 20
e) 1, 2, 3, 4, 6, 12
f) 1, 3, 11, 33
g) 1, 23
h) 1, 7, 49

Q6 a) 18, 36, 54, 72, 90, 108, 126, 144, 162, 180
b) 3, 6, 9, 12, 15, 18, 21, 24, 27, 30

c) 4, 8, 12, 16, 20, 24, 28, 32, 36, 40
d) 7, 14, 21, 28, 35, 42, 49, 56, 63, 70
e) 10, 20, 30, 40, 50, 60, 70, 80, 90, 100
f) 11, 22, 33, 44, 55, 66, 77, 88, 99, 110
g) 15, 30, 45, 60, 75, 90, 105, 120, 135, 150
h) 20, 40, 60, 80, 100, 120, 140, 160, 180, 200

Q7 a) 3, 9, 12, 15, 24, 36
b) 2, 3, 7, 23

Q8 a) 7
b) 3^2
c) 47
d) $3 \times 5 \times 7$
e) $2^3 \times 3^4$
f) $2 \times 3 \times 5 \times 7$
g) $3^4 \times 5$
h) $2^6 \times 3^4 \times 5$

Q9 a) $3^2 \times 5^2 \times 7$
b) x = 2, y = z = 1

Q10 a) 728
b) $2^2 \times 7 \times 13$
c) $2 \times 7 \times 13$
d) 7×13

Q11 a) 12
b) 3
c) 1, 9
d) 1, 3, 9

Q12 221 is not prime - 13 is a factor
35 is not prime - 5 is a factor
784 is not prime - 2 is a factor
20 is not prime - 2 is a factor
(97 is prime)

Q13 £10

Q14 LCM of 2, 12 and 15 is 60, so ribbons must be 60 cm

Q15 a) 4, 9
b) 11, 83
c) 4, 20, 44, 56

Q16 a) 8, 16, 32
b) 8, 16, 24, 32
c) 8, 16, 32

Q17 a) 6 cm³
b) $6 \times 7 \times 8 = 336$ boxes

Q18 1, 3, 5, 7, 9
a) 25
b) $25 = 5^2$

Q19 a) 16, 25, 36
b) 11, 13, 17, 19, 23, 29, 31, 37
c) 13 or 26
d) 17 or 34

Calculator Buttons P.4–5

Q1 a) 1
b) 144
c) 4
d) 225
e) 9

f) 400
g) 16
h) 1000000
i) 0

Q2 a) 5
b) 0
c) 13
d) 2·236
e) 4·472
f) 6
g) 50
h) 30
i) 1·414

Q3 a) 1
b) 4
c) 0
d) 100
e) 2
f) -3
g) 3
h) 1·442

Q4 The message means that the result of the calculation is too large for the calculator to display.

Q5 a) 11·13
b) 0·0006252
c) 2·060
d) 8·787
e) 1·231
f) 5·597

Q6 a) 2
b) 1
c) 0·6875
d) 0·1667
e) 0·375
f) 1

Q7 a) 1
b) 59049
c) 1048576
d) 31·01
e) 1048576
f) 1
g) 32768
h) 0.25

Q8 a) 4000
b) 10000
c) 620000

Q9 a) 4
b) 0·2
c) 2
d) 0.05
e) 0.02
f) 400

LCM and HCF P.6

Q1 a) 6, 12, 18, 24, 30, 36, 42, 48, 54, 60
b) 5, 10, 15, 20, 25, 30, 35, 40, 45, 50
c) 30

Q2 a) 1, 2, 3, 5, 6, 10, 15, 30
b) 1, 2, 3, 4, 6, 8, 12, 16, 24, 48
c) 6

Answers: P.6 – P.11

Q3 a) 1
b) 2
c) 5
d) 3
e) 7
f) 16
g) 4
h) 11

Q4 a) 15
b) 24
c) 30
d) 90
e) 42
f) 32
g) 30
h) 132

Q5 a) 7th June
b) 16th June
c) Sunday (1st July)
d) Lars

Q6 a) 20
b) 10
c) 2
d) 15
e) 15
f) 5
g) 32
h) 16
i) 16

Q7 a) 120
b) 120
c) 120
d) 45
e) 90
f) 180
g) 64
h) 192
i) 192

Fractions without a Calculator
P.7–9

Q1 a) 1/4
b) 5/16
c) 7/16
d) 37/64

Q2 a) 1/3
b) 1/3
c) 3/5
d) 1/5
e) 1/4
f) 1/11

Q3 a) 3
b) $5\frac{5}{6}$
c) $2\frac{1}{5}$
d) $1\frac{1}{2}$
e) 2
f) $1\frac{3}{4}$

Q4 a) 5/3
b) 21/2
c) 13/4
d) 17/9
e) 12/5
f) 73/10

Q5 $\frac{3}{6},\frac{6}{3},3\frac{1}{6},6\frac{1}{3},\frac{63}{6},\frac{36}{3}$

Q6 $2\frac{1}{3},2\frac{1}{5},1\frac{1}{2}(=)\frac{15}{10},\frac{3}{4},\frac{2}{5}$

Q7 a) 4/5 > 3/4
b) 3/7 > 2/9
c) 3/6 > 1/3
d) 4/10 = 8/20
e) 1/12 < 3/24

Q8 a) 0.3
b) $0.1\overline{66}$
c) 0.4
d) $0.\overline{22}$
e) 0.75
f) 0.875

Q9 a) $\frac{7}{10}$
b) $\frac{2}{5}$
c) $\frac{8}{25}$
d) $\frac{41}{100}$
e) $\frac{19}{20}$
f) $2\frac{19}{25}$ (or $\frac{69}{25}$)

Q10 a) terminating
b) terminating
c) recurring
d) recurring
e) terminating
f) terminating

Q11 a) $1\frac{1}{4}$
b) 5/6
c) $4\frac{1}{15}$
d) $4\frac{1}{2}$
e) $1\frac{7}{10}$

Q12 a) $2\frac{5}{6}$
b) $9\frac{3}{5}$
c) 11/20
d) $3\frac{8}{9}$
e) $7\frac{7}{8}$

Q13 a) 1
b) $7\frac{2}{9}$
c) 3/10

d) $1\frac{1}{2}$
e) 8

Q14 a) 2/3
b) $3\frac{3}{5}$
c) 1/6
d) 12
e) $2\frac{2}{3}$

Q15 a) 1
b) 37
c) 4/9

Q16 3/5 of the kitchen staff are girls.
2/5 of the employees are boys.

Q17 7/30 of those asked had no opinion.

Q18 a) 2/5
b) 6

Q19 a) 1/12
b) 1/4
c) 2/3

Q20 a) 3/4 of the programme
b) 5/8 of the programme
c) 1/8 of the programme

Q21 a) 16 sandwiches
b) 25 inches tall

Fractions with a Calculator
P.10–11

Q1 b) [1] [a b/c] [4]
c) [3] [a b/c] [4]
d) [7] [a b/c] [9] [0]

Q2 b) [1] [a b/c] [1] [a b/c] [4]
c) [3] [a b/c] [7] [a b/c] [9]
d) [2] [a b/c] [1] [a b/c] [6]

Q3 a) 7/12
b) 29/30
c) 2/9
d) 7/12
e) 46
f) 1/6

Q4 a) 1/2
b) 2/3
c) 3/4
d) 2/5
e) 1/7
f) 1/12

Q5 a) 11/4
b) 39/4
c) 149/13
d) 112/9
e) 97/11
f) 115/16

Answers: P.11 – P.17

Q6 a) 0·25
b) 0·2
c) 0·1875
d) 0·45
e) 7·1875
f) 0·125

Q7 a) 1/3
b) 0
c) 1/2

Q8 a) 840 female students
b) 360 female part time students
c) 320 female full time students

Q9 £593·64 was raised in total.

Q10 Ali gets £800, Brenda gets £200 and Chay gets £700.

Q11 Fred gets £400, Greg gets £400 and Hillary gets £1600.

Q12 £15

Q13 The drumkit cost £450 and the stereo cost £400.

Percentages P.12–14

Q1 a) £12·50
b) £1·05
c) 18 p
d) 144 kg
e) 9 g
f) 3·5 g
g) 36 rabbits
h) 27 cars
i) 0·445 m (or 44.5 cm)

Q2 a) £2·80
b) £11·20

Q3 £1045·75

Q4 a) £61·20
b) £68·40

Q5 a) £49·90
b) £52
c) £132

Q6 Taxable Pay = £15,500
a) £3875
b) £6200

Q7 The carpet will cost £96·35, so Keith cannot afford it.

Q8 a) £4136
b) £3639·68

Q9 Total = £208 + VAT = £244·40

Q10 25% reduction

Q11 30% increase

Q12 20% reduction

Q13 191.67% increase in height

Q14 a) 14·3%
b) 65·3%
c) 34·7%

Q15 4·8%

Q16 a) 40 inches
b) 35 inches

Q17 £56·00

Q18 a) £400
b) £475.24

Q19 £150·00

Q20 £21·00

Fractions and Decimals P.15

Q1 a) 0·5000
b) 0·2500
c) 0·1000
d) 0·0500
e) 0·0625
f) 0·0400
g) 0·7500
h) 0·9500
i) 0·8571
j) 0·5333
k) 0·1905
l) 0·3889
m) 0·8235
n) 0·8947
o) 0·0909
p) 0·0000

Q2 a) 1/10
b) 1/5
c) 17/50
d) 9/10
e) 19/100
f) 473/1000
g) 101/1000
h) 4/25
i) 1/4
j) 3/10
k) 2/5
l) 43/50
m) 1/8
n) 18/25
o) 2191/2500
p) $1\frac{1}{5}$

Q3 9/20

Q4

FRACTION	DECIMAL
$\frac{1}{10}$	0.1
$\frac{3}{20}$	0.15
$\frac{9}{10}$	0.9
$\frac{1}{8}$	0.125
$\frac{3}{16}$	0.1875
$\frac{3}{8}$	0.375
$\frac{3}{20}$	0.15
$\frac{9}{20}$	0.45
$\frac{5}{8}$	0.625
$\frac{9}{8}$	1.125

Q5 0·3636 (to 4 dp)

Decimals and Percentages P.16

Q1 a) 25%
b) 50%
c) 75%
d) 10%
e) 100%
f) 20%
g) 11%
h) 51%
i) 22·1%
j) 54·6%
k) 22·7%
l) 71·3%
m) 41·52%
n) 84·06%
o) 39·62%
p) 28·28%

Q2 a) 0·5
b) 0·12
c) 0·4
d) 0·34
e) 0·62
f) 0·17
g) 0·16
h) 0·77
i) 0·602
j) 0·549
k) 0·431
l) 0·788
m) 0·7516
n) 0·4402
o) 0·9825
p) 0·8265

Q3 24%

Q4

DECIMAL	PERCENTAGE
0.15	15%
0.72	72%
0.6	60%
0.18	18%
0.78	78%
0.009	0.9%
0.33	33%
0.295	29.5%
0.112	11.2%
1.1	110%

Q5 0·34

Fractions and Percentages P.17

Q1 a) 1/4
b) 3/5
c) 9/20
d) 3/10
e) 51/100
f) 1/5
g) 19/25
h) 47/50
i) 49/50
j) 2/25
k) 13/20
l) 9/10
m) 41/500
n) 62/125
o) 443/500
p) 81/250

SECTION ONE — NUMBER

Answers: P.17 – P.25

Q2 a) 50%
   b) 25%
   c) 12·5%
   d) 75%
   e) 4%
   f) 66·7%
   g) 26·7%
   h) 28·6%
   i) 33%
   j) 39·1%
   k) 85·7%
   l) 37·5%
   m) 7·7%
   n) 40%
   o) 42·9%
   p) 9·5%

Q3 85%

Q4 65%

Q5

FRACTION	PERCENTAGE
$1/4$	25%
$3/10$	30%
$7/10$	70%
$1/3$	$33\frac{1}{3}\%$
$1/4$	25%
$5/8$	62.5%
$3/8$	37.5%
$41/50$	82%
$87/200$	43.5%

Q6 65%

Q7 63·9%

Rounding Off P.18–19

Q1 £5·07

Q2 23 kg

Q3 235 miles

Q4 235 cm

Q5 a) 62·2
   b) 62·19
   c) 62·194
   d) 19·62433
   e) 6·300
   f) 3·142

Q6 a) 0·333
   b) 0·286
   c) 0·556
   d) 0·455
   e) 3·308
   f) 5·235
   g) 1·158
   h) 717·412

Q7 a) 2·24
   b) 0·82
   c) 3·32
   d) 0·77
   e) 2·65
   f) 2·61

Q8 (d)

Q9 a) 1330
   b) 1330
   c) 1329·6
   d) 100
   e) 0·02
   f) 0·02469

Q10 4·5 m to 5·5 m

Q11 a) Maximum length = 1·65 m
   b) Maximum width = 0·65 m,
   so max area = 1·65 × 0·65 =
   1·0725 m²

Q12 a) 142·465 kg
   b) 142·455 kg

Q13 For maximum speed, use maximum
distance and minimum time.
Maximum distance = 100·5 m
Minimum time = 11·55 s,
so max speed = 8·7 m/s

Accuracy and Estimating P.20–21

Q1 a) 807·87 m²
   b) 808 m²
   c) Answer **b)** is more reasonable.

Q2 a) 43 g
   b) 7·22 m
   c) 3·429 g
   d) 1·1 litres
   e) 0·54 miles
   f) 28·4 miles per gallon

Q3 a) 80872 kg
   b) 3·9 miles
   c) 1·56 m
   d) 150 kg
   e) 6 buses
   f) 12°

Q4 a) 0·72 (to 2 sf)
   b) 3·7 (to 2 sf)

Q5 a) $\dfrac{244.5+49.1}{53.2-41.2} \approx \dfrac{240+50}{50-40} \approx \dfrac{290}{10} \approx 29$

   b) $\dfrac{21\cdot2\times9\cdot7}{\sqrt{406\cdot6}} \approx \dfrac{20\times10}{\sqrt{400}} \approx \dfrac{200}{20} \approx 10$

   c) $\dfrac{3019\cdot23\times3\cdot0433}{19\cdot33\times5\cdot102} \approx \dfrac{3000\times3}{20\times5}$
   $\approx \dfrac{9000}{100} \approx 90$

   d)

   $\dfrac{(19\cdot2)^2 \div 20\cdot3}{4\cdot3\times5\cdot011} \approx \dfrac{20^2 \div 20}{4\times5} \approx \dfrac{20}{20} \approx 1$

Q6 a) 8.2 (accept anything 8.1–8.3)
   b) 4.7 (accept anything 4.6–4.8)
   c) 10.8 (accept anything 10.7–10.9)
   d) 7.1 (accept anything 7.05–7.2)
   e) 3.2 (accept anything 3.1–3.3)

Q7 a) 1000cm² – 1215cm²
   b) 15km² – 24km²

Q8 a) 80cm³ – 160cm³
   b) 1620cm³ – 2300cm³

Conversion Factors P.22–23

Q1 a) £26.53
   b) £2.80
   c) £6.37
   d) £22.73
   e) £1.33
   f) £8.51
   g) £2.69
   h) £5.82
   i) £55.70
   j) £2.44
   k) £1.99
   l) £0.00
   m) 754 Francs
   n) 0.68 Francs
   o) 12.85 Francs
   p) 9.87 Francs
   q) 223200 Lira
   r) 186197.35 Lira
   s) 253.64 Lira
   t) 2960.21 Lira

Q2 a) 1170 Francs
   b) Bryan receives, £479.51 which is a loss
   c) £20.49

Q3 2 pints for $0.72 is cheaper

Q4 a) 600 Yen
   b) 900 Yen
   c) 220 Yen
   d) £1.50
   e) £5
   f) £3.10

Q5 a) 0.3 km
   b) 3 km
   c) 10.5 km
   d) 0.045 km²

Q6 a) 1 m
   b) 0.2 m
   c) 0.04 cm²
   d) 0.02 cm²

Q7 3 cm

Metric and Imperial Units P.24–25

Q1 90 litres

Q2 7 ounces (to the nearest ounce)

Q3 Tom by 1 km

Q4 11 tons

Q5 a) 17.5 cm
   b) 175 mm

Q6 a) 90 lbs
   b) 1440 ounces
   c) Sara, by 1 kg

Answers: P.25 – P.29

Q7 70.9p per litre is cheaper by 2.4 p

Q8 a) 13.7 litres (to 1 dp)
b) 24/(15+1)=1.5 pints
c) 0.86 litres

Q9 4 bags

Q10 £7.20 per square metre is cheaper
(by 74 p per square metre)

Q11 a) 180 inches
b) 5 yards
c) 5 m (or 4.50m (2dp))
d) 500 cm (or 450cm)
e) 5000 mm (or 4500mm)
f) 0.005 km

Q12 a) 4 am
b) 5.12 pm
c) 2.15 am
d) 3.22 pm
e) 9.30 pm
f) 12.01 am

Q13 a) 2230
b) 1122
c) 0030
d) 1230
e) 0915
f) 1533

Q14 a) 8 hours
b) 9 hours 53 mins
c) 11 hours 56 mins
d) 47 hours 48 mins

Q15 a) 3 hours 45 mins
b) 12 mins
c) 5 hours 48 mins

Q16 a) 4.5 hours
b) 1.1 hours
c) 0.25 hours

Q17 a) train 3
b) train 1
c) 12:08

Special Number Sequences P.26

Q1 a) even numbers
b) odd numbers
c) square numbers
d) cube numbers
e) triangle numbers

Q2 a) 37, 41, 43, 47
b) 32, 64, 128, 256
c) 49, 81, 121, 169
d) 15, 21, 28, 36
e) 1000, 10 000, 100 000, 1 000 000

Q3 a) 2n
b) 2n-1
c) n^2
d) 2^{n+1}
e) n^3
f) 0.5n(n+1)

Q4 a) 36, 49, 64
b) 18, 21, 24
c) n^2

d) 3n
e) the nth term of C is the mean of
the nth terms for A and B,
0.5n(n+3)
f) 3320

Q5 a) 50, 72
b) $2n^2$
c) $3n^2$
d) xn^2
e) 2812.5

Questions on Number Patterns P.27–29

Q1 a) 1, 4, 9
b) 16, 25, 36
c) n^2

Q2 a) 4, 7, 10
b) 13
c) 3n+1

Q3 a) 11
b) 16
c) 21
d) 5n+1

Q4 a) 3, 8, 15
b) 24, 35, 48
c) n(n + 2)

Q5 a) $2n^2 + 2n + 1$
b) $2n^2 + 2n$
c) $(2n - 1)^2 = 4n^2 + 4n + 1$

Q6 a) 3n - 1
b) 5n + 2
c) 10n - 9
d) $2 \times 3^{n-1}$

Q7 a) 27 letters
b) 3n

Q8 a) 20, 27, 35, ½(n^2 + 3n)
b) 27, 38, 51, n^2 + 2
c) 42, 61, 84, 7 - 3n + $2n^2$
d) 49, 66, 86, ½(18 + n + $3n^2$)

Q9 a) 2,6,12
b) Any number which has an even
number as a factor is even. Either
n or n+1 must be even (and the
other odd), so n(n+1) is even
c) eg 2n or (n+1)(n+2)
d) eg 2n-1 or n(n+1)+1

10) a) 256, 1024, 4096
b) 1875, 9375, 46875
c) 96, 192, 384
d) 729, 2187, 6561

11) a) 54
b) 486
c) 39366
d) $2 \times 3^{n-1}$

12) a) 9, 3, 1
b) 50, 10, 2
c) 48, 12, 3
d) 63, 21, 7

13) a) 16
b) 4

Answers: P. 30 — P. 33

Regular Polygons P.30–32

Q1 A regular polygon is a many sided shape where all the side lengths and angles are the same.

Q2 Equilateral.

Q3 Isosceles.

Q4

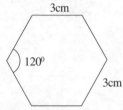

A Regular Hexagon
3cm
120°
3cm

Q5 Interior and Exterior angles.

Q6 Interior + Exterior = 180° or some other arrangement of this formula.

Q7 Exterior angle = 360° / no. of sides

Q8 Interior angle = 180° – (360° / no of sides)

Q9

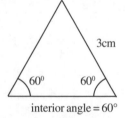

3cm
60°   60°
interior angle = 60°

Q10

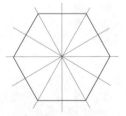

order of rotational symmetry = 6.

Q11 No. A square is needed to create a tiling pattern.

Q12

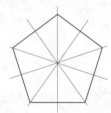

order of rotational symmetry = 5.

Q13 20p and 50p.

Q14

Name	Sides	Lines of Symmetry	Order of Rotational Symmetry
Equilateral Triangle	3	3	3
Square	4	4	4
Regular Pentagon	5	5	5
Regular Hexagon	6	6	6
Regular Heptagon	7	7	7
Regular Octagon	8	8	8
Regular Decagon	10	10	10

Q15a) Angles at a point sum to 360°, hence m + m + r = 360°.

Angles in a pentagon sum to 540°. We know two angles are 90°, so we are left with 360°. The only angles left are m, m and r so m+m+r must equal 360°.

b) r°.

c)

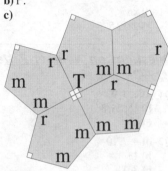

Q16a) 90° + 60° = 150°

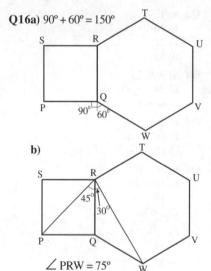

b)

∠PRW = 75°

c) 180 – (360/n) = 150
180n – 360 = 150n
30n = 360 => n = 12

Q17a) ∠AOB = 360° ÷ 10 = 36°

b) ∠OBA = (180° – 36°) ÷ 2 = 72°

c) 2 × 72° = 144°

Q18a) 900 ÷ 7 = 128$\frac{4}{7}$°.

Q19a) Length of side = 48÷6 = 8cm
Split hexagon into 5 triangles, which are equilateral (since the inner angle is 360 ÷ 6 = 60°)

So by pythagoras, height of one triangle

$$= \sqrt{8^2 - 4^2}$$

$$= \sqrt{64 - 16} = \sqrt{48}$$

Distance from one side to other

= height of 2 triangles

$$= 2\sqrt{48} = 13.9 \text{ (to 1 dp)}.$$

Q20 180 - (360/12) = 150°.

Q21 540° – (100° + 104° + 120°)
= 216° for two equal angles
∴ 1 angle = 108°

Q22a) 180° – 160° = 20°

b) 360° ÷ 20° = 18 sided.

Q23 360° ÷ 24° = 15 sided.

Q24a) Interior Angle = 165°

b) Exterior Angle = 180° - 165° = 15°
Sum of Exterior Angles = 15 × 24
= 360°

Q25

Number of sides	Name	Interior angle	Exterior angle
5	Pentagon	108°	72°
6	Hexagon	120°	60°
7	Heptagon	128.57°	51.43°
8	Octagon	135°	45°
9	Nonagon	140°	40°
10	Decagon	144°	36°
11	Hendecagon	147.2727°	32.7272°
12	Dodecagon	150°	30°
15	Quindecagon	156°	24°
18		160°	20°
24		165°	15°

The interior angles are getting smaller/ reducing in size as the exterior angles increase. The increase in interior angle allows more sides to fit the same 360°.
The number of degrees in a circle is the limiting factor for all polygons.

Symmetry P.33–35

Q1

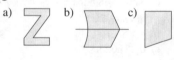

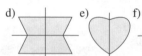

Q2

Order of Rotation:
6   8   5   3

Q3

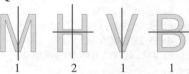

M H V B
1 2 1 1

Order of Rotation
1 1 2 2

A K S Z

Q4

a) Order of
Rotation = 3

b) Order of
Rotation = 1

c) Order of
Rotation = 2

d) Order of
Rotation = 1

e) Order of
Rotation = 8

f) 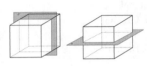 Order of
Rotation = 2

Q5

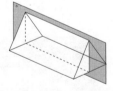

Q6 No.

Q7 Four. Three like this:

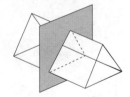

and one through its middle:

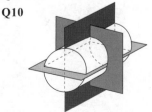

Q8 Infinitely many.

Q9 No.

Q10

Q11 6.

Q12 A point.

Q13 d) A tetrahedron.

Q14 Two. One along the middle of it's
length and the other perpendicular to
that

Q15 a) Two, one longitudinal and one
perpendicular to that.

b) 90º

c) They meet in a line.

Q16 b) $\sqrt{50}$ cm.

Q17 a) 4

b) Yes it is true.

___

Shapes You Need to Know P.36

Q1 a) Rhombus

b) Kite.

c) Parallelogan.

d) Rectangle.

e) Trapezium.

f) Square

Q2

Isosceles
Two equal angles
Two sides of
equal length

Right-Angled
One angle of 90^0

Equilateral
All angles 60^0
All sides of
equal length

Scalene
All angles different
(and none 90^0)
All sides of
different length

Q3

a) Cube

b) Cuboid

c) Triangular
Prism

d) Sphere

e) Cone

f) Regular Tetrahedron

g) 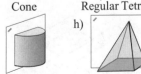 Cylinder

h) Square-Based
Pyramid

Length, Area and Volume P.37

Q1 a) Length.
b) Area.
c) None of these.
d) Length.
e) Volume.
f) Volume.
g) Volume.
h) None of these.

Q2 a) Length.
b) Length.
c) Area.
d) Length.

Q3 a) None of these.
b) Perimeter.
c) Area.
d) Area.

Q4 No. It has an r missing for it to be
the volume of a sphere.

Q5 Yes. It is the formula for the area of
a triangle.

Q6 Yes. It is the formula for the area of
a trapezium.

Q7 Yes. It could be the perimeter of a
symmetrical irregular pentagon.

Q8 No. It is only a length × a length. In
fact it is the formula for the area of a
kite.

Q9 a) Volume of a cube = l^3.

b) Area of a circle = $\pi (d/2)^2$.

c) Perimeter of a circle = $2\pi r$.

___

Areas P.38–39

Q1 24 cm²

Q2 25 cm²

Q3 a) l = 24, w = 12, area = 288 m²
b) 1 Carpet tile = 0.50 × 0.50 = 0.25 m²
So 288 m² ÷ 0.25 = 1152 tiles are
required.
c) £4.99 per m² => £4.99 for 4 tiles
Total cost = (1152 ÷ 4) × 4.99
= £1437.12

Q4 T_1: ½ × 8 × 16 = 64 m²
Tr_1: ½ × 8 × (8 + 16) = 96 m²
Tr_2: ½ × 4 × (8 + 12) = 40 m²
T_2: ½ × 8 × 12 = 48 m²
Total area of glass sculpture = 248 m²

Q5 Area = 30cm²

Q6 Area of metal blade =
½ × 35 × (70 + 155) = 3937.5 mm²

Q7 6 panels made up of 6 squares @
0.6 m × 0.6 m = 0.36 m².
Total area of material =
6 × 0.36 = 2.16 m².

Q8 $48 \div 5 = 9.6$ m length. Area of 1 roll $= 11$ m $\times 0.5$ m $= 5.5$ m^2.

48 m$^2 \div 5.5$ m$^2 = 8 \frac{8}{11}$ rolls of turf required. Of course 9 should be ordered.

Q9 Base length $= 4773 \div 43 = 111$ mm.

Q10a) $\sqrt{9000} = 94.87$ m.

b) Perimeter $= 4 \times 94.87$
$= 379.48$ m (2dp) .

Q11a) Area of each isosceles triangle $= \frac{1}{2} \times 2.3 \times 3.2 = 3.68$ m^2

b) Area of each side $=$
$(\sqrt{3.2^2 + 1.15^2}) \times 4 = 13.6$ m^2

c) Groundsheet $= 2.3 \times 4 = 9.2$ m^2
Total material $= 2 \times 3.68 + 9.2 + 2 \times 13.6 = 43.8$m^2

Q12 Area $= \frac{1}{2} \times 8.2 \times 4.1 = 16.81$ m^2
Perimeter $= 10.8 + 4.5 + 8.2$
$= 23.5$ m.

Q13

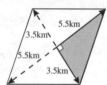

Diagonals of a rhombus bisect each other at right angles.
Area of each triangle $= \frac{1}{2} \times 5.5 \times 3.5$
$= 9.625$ km^2.
Area of rhombus $= 4 \times 9.625$
$= 38.5$ km^2, as each of the 4 triangles are congruent.

Q14 Area of larger triangles $= \frac{1}{2} \times 14.4 \times 10 = 72$ cm^2.
Area of inner triangle $= \frac{1}{2} \times 5.76 \times 4 = 11.52$ cm^2.
Area of metal used for a bracket $= 60.48$ cm^2.

Perimeters and Areas P.40–41

Q1 a) Hypotenuse $=$
$\sqrt{6.35^2 + 14.9^2} = 16.20$ m.
Perimeter $= 16.20 + 16.20 + 12.7 = 45.1$ m.

b) i) Height $= 26.8 \div 2.06 \div \frac{1}{2}$
$= 26.02$ m.

ii) Hypotenuse $=$
$\sqrt{26.02^2 + (0.5 \times 2.06)^2} = 26.04$ m.
Perimeter $= 2 \times 26.04 + 2.06 = 54.14$ m.

Q2 a) Perimeter $= 10 + 10 + \frac{1}{2} \times \pi \times 20 + 10 + 10 + 40 + \frac{1}{2} \times \pi \times 40 + 40$.
$= 120 + 30\pi = 214.25$ cm.

b) Area $= (40 \times 40) - (10 \times 20 + \frac{1}{2} \times \pi \times 10^2) + \frac{1}{2} \times \pi \times 20^2$
$= 1600 - 357.08 + 628.32$
$= 1871$ cm^2.

Q3 $(\pi \times 3^2) + (\frac{1}{2} \times \pi \times 6^2) + (4 \times 11) =$
$27\pi + 44 = 128.8$ cm^2

Q4 a) $\frac{1}{2} \times \pi \times 48^2 + (8 \times 96) = 4387$ mm^2
b) $\frac{1}{2} \times \pi \times 96 + 16 + 96 = 263$ mm.

Q5 $\frac{1}{2} \times \pi \times 28^2 + 1650 = 2882$ cm^2.

Q6 a) Area $= 2 \times \frac{1}{2} \times 3 \times (22 + 28) + 2 \times \frac{1}{2} \times 3 \times (30 + 36) = 150 + 198 = 348$cm^2

b) Perimeter $= 2 \times (28 + 36) = 128$ cm.

Q7 a) Area of cross section $= (32 \times 4.2) + (26 \times 4.0) + (17.8 \times 4.2) = 313.16$ cm$^2 = 0.031316$ m^2

b) Volume of steel $= 0.031316 \times 3.5$
$= 0.109606$m^3

Q8 a) $(6 \times 5) - (2 \times 3) = 24$ m^2
b) $(4 \times 8) - (4 \times 2) - (\frac{1}{2} \times 2 \times 2) = 22$ m^2
c) $\frac{1}{2} \times 4 \times (8 + 5) - \frac{1}{2} \times 2 (3 + 4) = 19$ m^2

Q9 Shaded area $= 144 - \pi \times 6^2 = 30.9$ m^2.

Q10 Shaded area $= 113.10 - 72 = 41.1$ m^2.

Solids and Nets P.42–43

Q1 a) Square based pyramid
b) Tetrahedron
c) Triangular prism.

Q2

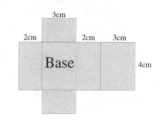

Other arrangements are possible.

Q3

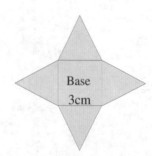

Q4 a)

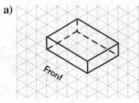

b)

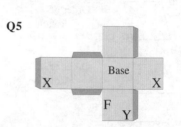

Front elevation   Side elevation

Plan

Q5

Q6

Q7 a) Rectangle.
b) AH, CF, BG.
c) DF, AG, BH.
d) HC, BE, AF.
e) eight.

Q8 a) 1
b) 1

Q9 a) 12
b) 7
c) 7

Q10

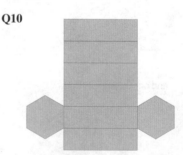

Q11a) parallelepiped
b) eight
c)

d)

Q12

Volume and Capacity P.44–45

Q1 a) $V = \pi \times 7^2 \times 9 = 1384.74 \text{ cm}^3$

    b) $X = 1200/49 \pi = 7.7992 \text{ cm} = 78 \text{ mm to nearest mm.}$

Q2 a)

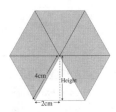

    height $= \sqrt{4^2 - 2^2} = 3.464$,

    so area of hexagon $= 6 \times \frac{1}{2} \times 4 \times 3.464 = 41.57 \text{ mm}^2$.

    b) Area of wood = area of hexagon – area of circle radius 1 mm = $41.568 - \pi = 38.43 \text{ mm}^2$.

    c) Volume of wood $= 38.428 \times 200 = 7686 \text{ mm}^3$.

Q3 a) $100 \times \pi \times 25^2 = 196349.5 \text{ cm}^3$.

    b) $2.2 \times \pi \times 25^2 = 4319.7 \text{ cm}^3$ will be lost.

    c) It will take $(196349.5 - 4319.7) \div 43500 = 4.41$ mins to fill the barrel.

Q4 $100 \text{ cm} \div 3 \text{ cm} = 33$ books with a little to spare (1cm).

Q5 a)

    height $= \sqrt{6^2 - 3^2} = 5.196$ cm.
    Area of cross section $= 3 \times 5.196 = 15.588 \text{ cm}^2$.
    Length $= 36 \times 2.5 = 90$ cm.
    So volume $= 90 \times 15.588 = 1402.96 \text{ cm}^3$.

    b) $M = D \times V = 14 \times 1402.96 = 19.641 \text{ g} = 19,641 \text{ kg}$.

Q6 $5 \times 410/12 = 170.83$ g.

Q7

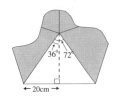

$360° \div 5 = 72°$

$\tan 36° = 20/x$ so $x = 27.53$ cm
Area of triangle $= 20 \times 27.53 = 550.6 \text{ cm}^2$
Area of pentagon $= 5 \times 550.6$

Volume of hamper $= 40 \times 5 \times 550.6 = 110111 \text{ cm}^3 = 0.11 \text{ m}^3$.

Q8 Volume $= \pi \times 1.7 \times 0.6^2 = 1.92 \text{ m}^3$

Q9

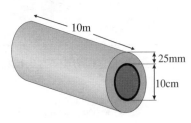

    a) Cross section of pipe $= \pi \times 5^2 = 78.5 \text{ cm}^2$.

    b) Cross sectional area of insulation = $(\pi \times 7.5^2) - 78.5 = 98 \text{ cm}^2$

    c) Volume of insulation $= 1000 \times 98 = 98000 \text{ cm}^3 = 0.098 \text{ m}^3$.

Q10a) Rubber chocks volume $= \frac{1}{2} \times 20 \times (50 + 35) \times 40 = 34,000 \text{ cm}^3$.

    b) 57.8 kg

    c) A person should just about be able to carry this weight

---

Three Letter Angle Notation P.46

Q1 a) $180 - 110 = 70°$

    b) 70°, the other isosceles angle

    c) $(180 - 110) \div 2 = 35°$

    d) BYZ or ZYB, two alternatives for the same angle.

    e) 40° for BYX and it is acute.

Q2 a) QPR = 90°

    b) OPR = 37° as triangle OPR is isosceles (the two radii!)

    c) ROP $= 180 - (2 \times 37) = 106°$

---

    d) OPQ $= 90 - 37 = 53°$

    e) OQP $= 180 - (90 + 37) = 53°$

    f) QOP or POQ $= 74°$

    g) acute

Q3 a) SRT = 90°

    b) TSR = 57°

    c) STL = 90°

    d) none of these

    e) TLS $= 180 - (90 + 57) = 33°$

    f) TRL = 90°, LTR = 57°

Q4 a) QRP = 60°. Angles in a straight line add to 180°.

    b) RPT = 60°. Supplementary angles.

    c) QPT = 135°.

    d) 360°, (as they do at any point).

    e) QPT = 225°. It must be 360° minus the answer to part **c**).

Geometry P.47–49

Q1 a) x = 47°

    b) y = 154°

    c) z = 22°

    d) p = 35°, q = 45°

Q2 a) a = 146°

    b) m = 131°, z = 48°

    c) x = 68, p=112°

    d) s = 20°, t = 90°

Q3 a) x = 96°, p = 38°

    b) a = 108°, b = 23°, c =95°

    c) d =120°, e =60°, f =60°, g =120°

    d) h =155°, i =77.5°, j =102.5°, k =77.5°

Q4 a) b= 70°

    c= 30°

    d= 50°

    e= 60°

    f= 150°

    b) g= 21°

    h= 71°

    i= 80°

    j= 38°

    k= 92°

    c) l= 35°

    m= 145°

    n= 55°

    p= 125°

Q5 a) x = 162° y=18

    b) x =87 y = 93   z = 93°

    c) a = 30° 2a = 60° 5a = 150°

    4a = 120°

Q6 a) x = 108°

    n = 72°

    u = 72°

    t = 54°

    m = 72°

    b) t = 60°

    2t = 120°

    3t = 180°

Answers: P. 48 — P. 52

c) $g = 360 - 51.4 = 308.57°$
  $b = 128.57°$
d) $p = 31°$, $u = 58°$, $q = 64°$, $r = 20°$
  $t = 140°$

Q7 a) $a = 141°$, $b = 141°$, $c = 39°$, $d = 141°$
  $e = 39°$
b) $a = 47°$, $b = 47°$, $c = 133°$, $d = 43°$
  $e = 43°$
c) $n = 140°$, $m = 140°$, $p = 134°$,
  $q = 46°$, $r = 40°$

Q8 a) $z = 77°$, $y = 103°$, $x = 103°$, $q = 103°$
  $p = 77°$
b) $x = 30°$, $2x = 60°$, $4x = 120°$
c) $x = 18°$, $p = 180 - 3x = 126°$
  $q = 2x = 36°$

Q9 a) $p = 140°$
b) $180 - d = 4d$
  $180 = 5d$
  $36° = d$ so $4d = 144°$.
  $180 - c = 2c$
  $180 = 3c$
  $60° = c$ so $2c = 120°$
c) $? = 136°$

Q10a) $m = 45$, $n = 150$, **b)** $q = 65°$
  $r = 69$, $t = 25°$
c) $x = 160°$, $y = 20°$, $q = 20°$

Q11 Angles in a trapezium dictate that
  ABD = BDC
  But we were given BD bisecting
  ADC
  Hence BDC = ADB
  So ABD = ADB and triangle ABD is
  therefore Isosceles

Q12 $180 - 37 = 143°$

Q13 The side elevation creates a 6-sided
  polygon with an isosceles triangle on
  the top.
  Considering the triangle, $x = 45°$ as
  the other angle is 90°.
  Considering the hexagon, $90 + 90 +$
  $140 + 140 + y + y = 720$ which
  implies $y = 130$

Circles P.50

Q1 a) 62.8m
b) 37.7m
c) 37.7m
d) 62.8m

Q2 a) $136.866cm^2$
b) $211.268cm^2$
c) $39.820m^2$
d) $118.838m^2$

Q3 a) $117.607m^2$
b) $45.216 = 45m$ to 2 sig. fig.
c) 46.5m to 1dp.
d) $14.152cm^2$ to 3dp.

Q4 a) $(10/\pi) \div 2 = $ radius
  radius $= 1.5915m$
b) $(0.02/\pi)/2 = $ radius
  radius $= 0.0032mm$

c) $\sqrt{\dfrac{36}{\pi}} = $ radius
  radius $= 3.3851cm$

Q5 a) Area = area of a full circle radius
  10cm.
  $A = \pi r^2 = 3.14 \times 10^2 = 314cm^2$
  Circumference $= \pi \times D = 3.14 \times 20 =$
    62.8 cm
  Perimeter $= 62.8 + 20 = 82.8$ cm
b) Area = (area of a full circle radius
  15cm) + (area of a rectangle $15 \times$
  30cm) = $(\pi \times 15^2) + (15 \times 30) =$
  $\underline{1156.5cm^2}$.
  Perimeter = (Circumference of a
  full circle radius 15cm) + (15 + 15
  two shorter sides of rectangle) =
  $(\pi \times 30) + 30 = \underline{124.2cm}$.
c) Area = Outer semi circle – Inner
  semi circle = $\underline{510.25m}$.
  Perimeter = ½ Circumference of
  larger + ½ Circumference of inner
  +5+5
    $= ½ \times \pi \times 60 + ½ \times \pi \times$
  $70 + 10 = \underline{214.1m}$.

Q6 Circumference $= 3.14 \times 84 =$
    263.76mm.
  Area $= 3.14 \times 42^2 = 5538.96mm$

Q7 28 m

Area and Circumference P.51

Q8 $C = 182.12cm$
  Number of revolutions =
    100 000 / 182.12 = 549.

Q9 Area of path = $\pi \times 15^2 - \pi \times 14^2 =$
  $91.06m^2$.

Q10 $A = 3.14 \times 0.9^2/2 = 1.2717m^2 =$
  $1.27m^2$ to 3 sig. fig.

Q11 $C = 3.14 \times 1.8/2 = 2.826m$ plus the
  diameter => Amount of braid = 4.63
  to 3 sig. fig.

Q12a) Area $= \pi \times 225^2 = 158962.5mm^2$
    $= 0.1589625m^2 = 0.16m^2$ to 2dp.
b) Stripe $= \pi \times 450 = 1413mm$.
c) Length $\times$ width $= 1413 \times 20 =$
  $28260 mm^2$.

Q13a) $C = \pi \times 1.2 = 3.768cm$.
b) $(50 \times 3.768) + 5 + 6 = 199.4cm$.
  As the windings build up on the
  spindle the circumference for
  future windings will increase. Any
  approximate answer over 2m of
  string would be acceptable.

Q14a) $C = \pi \times 36 = 113.04m$. A
  passenger travels 113.04m in one
  revolution.

b) 6 revolutions /min => a distance of
  $6 \times 4 \times 113.04 = 2712.96m$ for 4
  minutes or approx. 2.7km!

Q15 $C = 31.4cm$ $A = 78.5cm^2$. Hence
  triangle has a base of 31.4cm and an
  area of 78.5cm². Therefore Solving
  $½ \times 31.4 \times ? = 78.5$ gives ht = 5cm.

Q16
a) $A = \pi (R^2 - r^2) = \pi (2.3^2 -$
  $1.1^2) = 12.8112cm^2$.
b) Thickness $= 12.8112/5000 =$
  $0.00256224cm$.
c) Half unwound leaves 25m with a
  thickness of 0.00256224cm.
  Area $= 2500 \times 0.00256224 =$
    $6.4056cm^2$
  Hence $r = \sqrt{1.1^2 + \frac{6.4056}{3.14}} = 1.803cm$.

Circle Geometry P.52

Q1 a) Angles in a semicircle dictate ACB
  $= 90° = $ ADB.
b) Hence angle ABD $= 180 - (90 +$
  $43) = 47°$.
c) 53°
d) 47°
e) 100°
f) 37°. Angle CBD $= 53° + 47° =$
  100°. As ACBD is a cyclic
  quadrilateral, opposite angles must
  add up to 180°, so DAC = 80°, and
  BAC $= 80° – 43° = 37°$. (Or say
  that the angles in triangle ABC
  must add up to 180°, so angle BAC
  must be $180° – (53° + 90°) = 37°$.)

Q2 a) Angle ABC $= 90°$ (right angles in a
  semi circle)
b) Angle BCA $= 180 - (90 + 31) =$
  59°
  (Angles in a triangle sum to 180°)
c) Angle BCT $= 90 - 59 = 31°$
  (Tangent perpendicular to radius at
  point of contact)
d) 31°. Angles BAC and BDC are in
  the same segment, and so must be
  equal.

Q3 GHI $= 90°$ (angle in a semicircle)
  HGI $= 180 - (90 + 50) = 40°$ (angles
  in a triangle sum to 180°)
  HI and GF are parallel hence FGI =
  GIH (due to angles in a trapezium)
  Therefore FGI $= 50°$ and so is GFO
  (due to angles in an isosceles
  triangle; GO = FO both being radii.
  hence triangle OFG is isosceles.)
  Therefore FOG $= 80°$ (angles in a
  triangle) and IOF $= 100°$ (angles in a
  st. line $= 180°$).
  Finally IHJ $= 40°$ (since IH is a

chord, and the angle between a chord and a tangent is equal to the angle in the opposite segment).

Q4 a) Angle CDE is 90°. By Pythagoras

$$CD = \sqrt{100^2 - 60^2} = 80 \text{ cm}.$$

b) Angle OYX is 90°.
OX is a radius = 10 cm.
XY = 8 cm. Hence

$$OY = \sqrt{10^2 - 8^2} = 6 \text{ cm}.$$

Q5 a) BD = 5 cm (as the tangents BD and CD are equal).

b) Angle COD = 70°
(=180° − (20° + 90°), since the tangent CD meeets the radius OC at an angle of 90°).

c) Angle COB = 140° (since BOD equals COD).

d) Angle CAB = 70° (since the angle at the centre (COB) is twice the angle at the edge (CAB).

Similarity and Enlargement P.53–54

Q1 20 : 25 = L : 50
20/25 = L/50
(20 × 50)/25 = L
40cm = L

Q2 i) a) Yes **b)** The ratios 2.5: 7.5 = 3:9 = 4:12. are all equal.

ii) a) No **b)** angles are the same but the ratios are different 2:3 ≠ 5.5:9

iii) a) Yes **b)** 10:150 cancels to 1:15 15:225 cancels to 1:15 as well.

iv) a) Yes **b)** all angles are the same.

Q3 a) ABC is similar to PQR

4:5 = AB:10
4/5 × 10 = AB
8 = AB

b) 4:5 = 6:QR
4/5 × QR = 6
QR = (6 × 5)/4 = 7.5

Q4

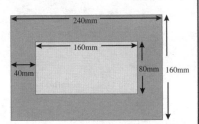

The real question is is the ratio 160:240 = 80:160? i.e. does 16/24 = 8/16? As is doesn't, the mount and the picture are <u>not</u> similar.

Q5 a) Yes
b) No
c) No

---

d) Yes
e) Yes
f) No

Q6 a) 1:7.8
b) 1:500
c) 300:1

Q7 Answer **a)**. The ratio of the circumferences is 28 π : 20 π = 1.4: 1 => answer **a)**.

Q8 K^1 = (2,8) L^1 = (6,8) M^1 = (6,4) N^1 = (2,4)

Q9 W^1 = (8,9) X^1 = (11,9) Y^1 = (11,3) V^1 = (8,3)

Q10 See diagram. Coordinates for T' are (18,2), (16,4), (12,4)

T" coordinates are (15,1), (14,2), (12,2)

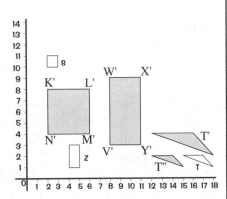

A translation $\begin{pmatrix} -3 \\ 0 \end{pmatrix}$ to map T onto T".

A translation $\begin{pmatrix} 3 \\ 0 \end{pmatrix}$ to map T" onto T.

Q11 C of E (2,0) S.F. = 3.

Q12 C of E (0,1.5) S.F. = 5.

Q13 C of E (17,13) S.F. = 2.

Q14 C of R=C of E= (4.1,12.1) SF=0.5

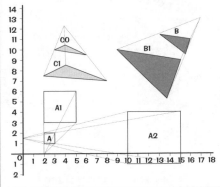

Transformations P.55–57

Q1 a) S $\xrightarrow[\begin{pmatrix}5\\2\end{pmatrix}]{}$ S_1

---

b) T $\xrightarrow[\begin{pmatrix}0\\-5\end{pmatrix}]{}$ T_1

c) R $\xrightarrow[\begin{pmatrix}-4\\-3.5\end{pmatrix}]{}$ R_1

Q2

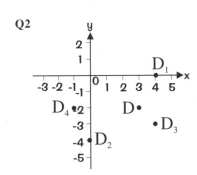

Q3 (2,8)

Q4 a) $\begin{pmatrix} -1 \\ 1 \end{pmatrix}$ **b)** (-3, 4)

c) $\begin{pmatrix} -5 \\ 3 \end{pmatrix}$ **d)** $\begin{pmatrix} 5 \\ -3 \end{pmatrix}$

Q5

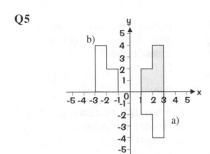

Q6

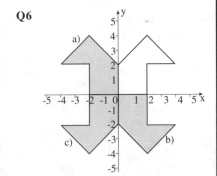

Q7

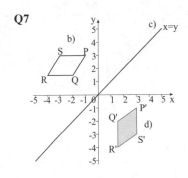

a) point R = (-4,1½)

b) see diagram

c) see diagram

d) see diagram

e) $P^1 = (3,-1)$
   $Q^1 = (1½, -2)$
   $R^1 = (1½, -4)$
   $S^1 = (3, -3)$

f) The x and y coordinates swap over i.e. original point (x, y) becomes (y, x) in the reflection.

Q8

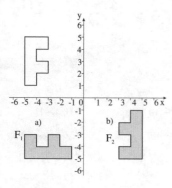

c) F_2 back to original F rotate 180° about (0,0) either clockwise or anticlockwise.

Q9 a) A onto E Translation $\begin{pmatrix} 5 \\ -6 \end{pmatrix}$

b) A onto D Reflection in line x = 0

c) D onto B Reflection in line y = x.

d) D onto C Rotation centre (-2,0) 180° clockwise

e) B onto F Translation $\begin{pmatrix} -9 \\ -3 \end{pmatrix}$

f) F onto B Translation $\begin{pmatrix} 9 \\ 3 \end{pmatrix}$

Q10

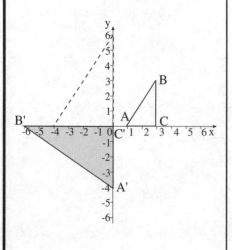

A' = (0, -4), B' = (-6, 0), C' = (0, 0)

Q11

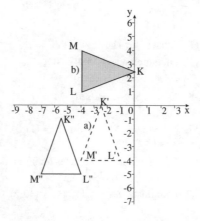

Q12

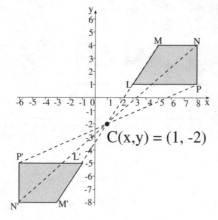

$C(x,y) = (1, -2)$

Q13a) PRQ -> P' R' Q' by enlargement scale factor ½ centre (5,0) {Diagram}

b) Triangles are similar.

Answers: P.58 — P.63

Trigonometry P.58–61

Q1 a= ⁶/√3 =3.5 cm

b= ⁷/√3 = 4.0 cm
c=33.7°
d=5 cm
e=63.9°
f=26.1°

Q2 g=7.7 cm
h=7.8 cm
i=35.1°
j=2.8 cm
k=5.7 cm

Q3 l= 6.4 cm
m=4√2 =5.7 cm
n=52.3°
o=8.6 cm
p=53.7°

Q4 r= 49.2 mm
t=18°
u=46.1°
v=43.9°
w=9.9 cm
x=10.1 cm
y=63°
z=9.0 cm

Q5 2.1 m

Q6 20.5°

Q7 **a)** 334.5 m
b) 369.1 m

Q8 **a)**

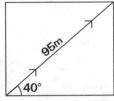

b) length=72.8 m, width=61.1 m
c) 4444 m²

Q9 **a)** 54.5°
b) 70.3°

Q10a) 380 m
b) 12.8°

Q11a) 26°
b) 23.9 m
c) 127°
d) 28.9 m

Q12a)

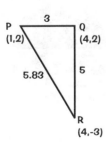

b) 59.0°
c) 31.0°

Q13 45°

Q14a)

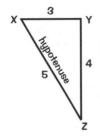

b) 36.9°

Q15a)

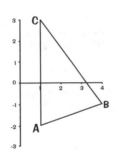

b) 71.6°
c) 36.9°
d) 71.5°

Q16 14 m

Q17a)

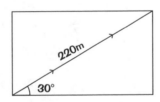

b) length =190.5 m, width =110 m
c) 20958 m²

Q18a) 21.5 cm
b) 43.1 cm

Q19a)

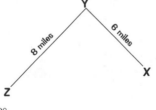

b) 90°
c) 10 miles

Q20a) 22.5°
b) 3.83 cm

Q21a) 33.7
b) 18.0 cm

Bearings P.62–63

Q1 **a)** 105°
b) 285°
c) 070°
d) 250°

Q2 **a)** 8.9 km
b) 097°
c) 277°

Q3 **a)** Guernsey
b) Sark
c) 315°, 42.4 miles
d) 342°
e) 045°
f) 59.9 miles

Q4 **a)** 7 km
b) 293°

Q5

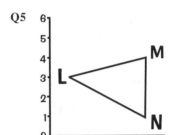

a) 076°
b) 180°
c) 000°
d) 297°

Q6 **a)**

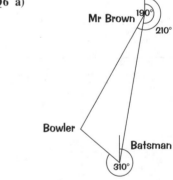

b) 130°
c) 010°

Q7

Lighthouse 123°, 12 miles, Boat, Man, 065°

a) 12.8 miles
b) 11.9 miles

Q8 a)

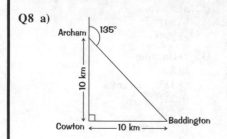

b) right-angled isosceles triangle
c) 50 km²

Q9 a)

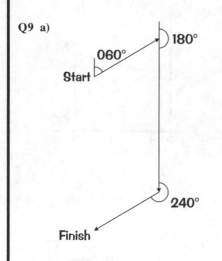

b) 20,000 m = 20 km
c) 10 km

Loci and Constructions P.64–65

Q1

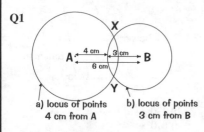

a) locus of points 4 cm from A
b) locus of points 3 cm from B

Q2

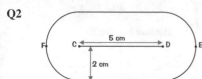

Q3 a)

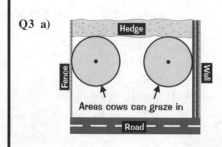

Areas cows can graze in

b)

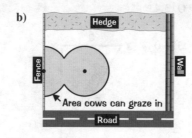

Area cows can graze in

c) the diagram in **a)**

Q4

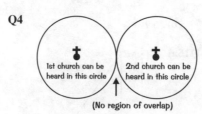

(No region of overlap)

There is no *area* where both bells can be heard — merely a *single point* midway between the two churches.

Q5

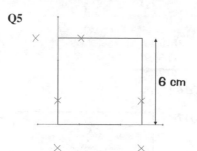

Q6

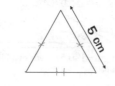

Q7

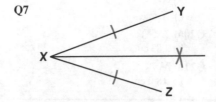

Q8

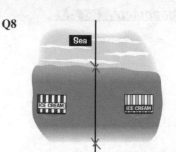

Q9

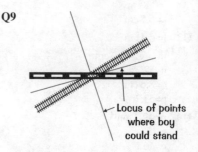

Locus of points where boy could stand

Q10

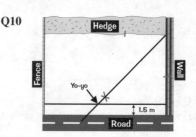

Q11

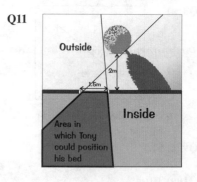

Formula Triangles P.66

Q1

$$\frac{b}{2} \times H = A$$

a) A = 4.5 × 6 = 27 cm²
b) h = 26/2 = 13 cm
c) b/2 = 49/3.5 = 14
   so b = 28

Q2

a) g = 2/10 = 1/5
b) h = 18 × 1/6 = 3 m
c) L = 3 ÷ 2/3 = 4.5 m

Q3

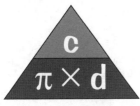

a) c = π × 72 = 226 cm (to nearest cm)
b) = 21/π = 6.7 cm (to 1 d.p.)
c) d = 2r = 250/π = 79.6
   r = 39.8 cm (to 1 d.p.)

Q4

a) L=120/8=15
b) Q=408/24
c) S=0

Pythagoras' Theorem P.67–69

Q1 c = 5 cm
d = 9.28 cm
e = 12 mm
f = 17.9 cm
g = 13.5 mm

Q2 A 100 = 64 + 36 Yes
B 144 ≠ 64 + 16 No
C 36 ≠ 16 + 12.25 No
D 625 = 576 + 49 Yes
So A and D are right angled.

Q3 h = 19.7 cm
i = 16.7 cm
j = 8 mm
k = 11.3mm
l = m = 9.43 cm

Q4 a) CD = 7.48 cm
b) AD = 2.83 cm
c) AB = 15.83 cm
d) area 59.2 cm²
   15.83^2 = 250.6
   $8^2 + 15^2$ = 289
   So ABC is NOT right angled.

Q5 a) WX = 8.06 cm
b) WZ = 12.1 cm
c) 36.27 cm²

Q6 $\sqrt{20^2 - 15^2}$ = 13.2 m from house.

Q7 Lines must be secured 4.66 m, 6.22 m and 7.6 m from pole.

Q8 $\sqrt{35^2 - 15^2}$ = 31.6 m
$\sqrt{35^2 + 15^2}$ = 38.1 m so perimeter is 99.7 m.

Q9 $\sqrt{55^2 - 50^2}$ = 22.9 so tree must be 24.4 m tall.

Q10 a) $\sqrt{1.2^2 + 0.56^2}$ = 1.32 m
b) 1.2 × 0.56 = 0.672 m² area of doorway

Q11

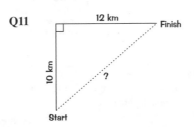

$\sqrt{100^2 + 120^2}$ = 156 km from port

Q12

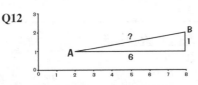

AB = $\sqrt{6^2 + 1^2}$ = 6.08 grid units

Q13 0.9 cm

Q14 a) 5.7 cm
b) 4.5 cm
c) 4.1 cm
d) 14.4 cm
e) 10 cm
f) 6.4 cm

Q15

p	q	s
3	4	5
5	12	13
8	6	10
9.31	9	12.95
11	12	16.28
1	1	1.41

Q16 a) 9.4 m
b) 1.6 m/s

Using Formulas P.70

Q1 i) area 25 mm².
ii) area 13.5 cm².
iii) area 280 mm².
iv) h=16 cm.

Q2 a) 1963.5 cm² (to 1 d.p.)
b) A = π × 75² = 17671. 5 cm² (to 1 d.p.)

c) r = $\sqrt{\dfrac{A}{\pi}}$ = 4.8cm (to 1 d.p.)

Q3 a) F = 36 + 32 = 68°.
b) F = 288 + 32 = 320°.

c) 35 − 32 = $\dfrac{9}{5}$ C

   15/9=C
   1.667°=C

Speed P.71

Q1 60 km/hr

Q2 165 miles

Q3 2 hours 40 minutes.

Q4

Distance Travelled	Time taken	Average Speed
210 km	3 hrs	70 km/h
135 miles	4 hrs 30 mins	30 mph
105 km	2 hrs 30 mins	42 km/h
9 miles	45 mins	12 mph
640 km	48 mins	800 km/h
70 miles	1 hr 10 mins	60 mph

Q5 $\dfrac{280}{63} = 4\dfrac{4}{9}$ hours = 4.444 hrs

07.05 to 1030 is 3 hrs 25 mins.
Journey takes over 4 hours so NO.

Q6 7 minutes to go 63 miles so 540 mph

Q7 a) 100/28 = 3.57 m/sec (to 2d.p)
b) 12.86 km/hr

Q8 a) 98.9 m.p.h. (to 3 s.f.)
b) 72.56 seconds
c) 99.2 m.p.h. (to 3 s.f.)

Q9 a) 2.77 + 1.96 + 0.6 = 5.33 hrs (to 3s.f.) =5 hours 20 mins
b) 250 miles
c) 46.9 m.p.h. (to 3 s.f.)

Density P.72

Q1 a) 0.75 g/cm³.
b) 0.6 g/cm³.
c) 0.8 g/cm³.
d) 700 kg/m³ = 0.7 g/cm³

Q2 a) 62.4g.
b) 96g.
c) 3744g (3.744kg).
d) 75g.

Q3 a) 625cm³.
b) 89.3cm³ (to 3 s.f.).
c) 27778cm³ (27800 to 3 s.f.).
d) 2500 cm³.

Answers: P.72 — P.75

Q4 20968 cm³

Q5 a) 0.161 people/km².
  b) 52.2 sheep/km².
  c) 0.821 cattle/km².

Q6 Vol. = 5000 cm³ = 5 litres.

Q7 34.71 g

Q8 1.05 g/cm³

Q9 SR flour 1.16 g/cm³.
  Granary flour 1.19 g/cm³.

Tesselations P.73

Q1 a) hexagon, square, triangle
  b) 120°, 90°, 90°, 60°
  c) 360°

Q2 a)

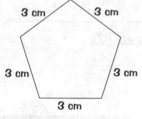

  b) No
  c) Interior angle is 108°
    108 × 4 = 432°
    so you can't make 360°

Q3

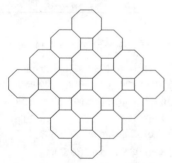

Q4 a) 120°
  b) 3 × 120 = 360°

Q5 a) Pentagon, rhombus
  b) w = 36°, x = 108°, y = 108°, z = 144°

Q6 a) Octagon, right-angled triangle.
  b) a = 135°, b = 45°

c)

Q7 a) 12
  b) 150°
  c) No
  d)

This shape could be used with regular dodecahedrons to make tesselations

Q8 a) 2
  b) Isosceles triangles (2 different ones), pentagon.
  c) e = 108°
    f = 72°
    g = 108°
    h = 72°

Ratios P.74–75

Q1 a) 3:4
  b) 1:4
  c) 1:2
  d) 9:16
  e) 7:2
  f) 9:1

Q2 a) 6cm
  b) 11cm
  c) 30.4m
  d) 1.5cm
  e) 2.75cm
  f) 7.6m

Q3 a) £8, £12
  b) 80m, 70m
  c) 100g, 200g, 200g.
  d) 1hr 20 m, 2 hr 40 m, 4 hrs.

Q4 a) £4.80
  b) 80 cm.

Q5 John 4, Peter 12.

Q6 400ml, 600ml, 1000ml.

Q7 30 Ash

Q8 Jane £40, Paul £48, Rosemary £12.

Q9 a) 250/500=1/2
  b) 150/500=3/10

Q10 a) 1:300
  b) 6m
  c) 3.3cm

Q11 a) 245 girls
  b) 210 boys

Q12 a) 15kg
  b) 30kg
  c) 8 cement, 24 sand and 48 gravel.

Q13 a) 30 good
  b) 15 lost
  c) 30/45 = 2/3

Q14 a) 45 Salt & Vinegar.
  b) 90 bags sold altogether.

Answers: P.76 – P.77

Averages and Range P.76–79

Q1 a) 100·145
   b) 99·7
   c) 100·05

Q2 Mode = size 3; Median = size 3

Q3 13 years 1 month

Q4 4½

Q5 8

Q6 a) Mode = 1 day
   b) Median = 2 days
   c) True

Q7 a) Median = 13; Mode = 16;
   Mean = 11.4; Range = 20
   b) Median = 3; Mode = 3;
   Mean = 3; Range = 4

Q8 a) Advantages:
   It is the best known average.
   It can be calculated exactly.
   It makes use of all the data.

   Disadvantages:
   It is affected by extreme values.
   It can give an impossible answer.
   It cannot be obtained graphically.

   b) Advantages:
   It is unaffected by extreme values.
   Easy to obtain from a frequency chart.

   Disadvantages:
   When the data is grouped its value cannot be determined exactly.
   There may be more than 1 mode.

   c) Advantages:
   It is not influenced by extreme values.
   It can be found even if some of the values are unknown.
   It is not affected by class widths or open ended classes.
   It can represent an actual value from the data.

   Disadvantages:
   For grouped distributions its value can only be estimated from a cumulative frequency curve.
   The median may not be characteristic of the group when data has only a few items.

Q9 a)

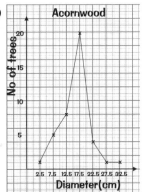

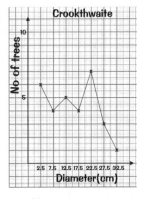

b) 16-20 cm
c) 21-25 cm
d) The modal diameter in Acornwood is lower than Crookthwaite.
   The distribution of trees in Acornwood is close to a Normal distribution, while the Crookthwaite wood has more of a Uniform distribution.
   This is possibly caused by trees in Crookthwaite being planted regularly every year, whereas in Acornwood the vast majority of the trees were planted at the same time, giving a larger frequency peak of 20.

Q10 a) £47,950
   b) Mode = £30,000
   Median = £31,250
   c) The mode and the median are not affected by the extreme value of £200,000 of one individual, while the mean is.
   d) Median

Q11 a) England

Height (cm)	No.
12	I
13	II
14	II
15	II
16	III
17	II
18	II
19	II

Scotland

Height (cm)	No.
13	II
14	IIII
15	III
16	II
17	IIII

b)

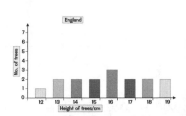

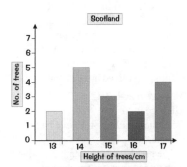

	Scotland	England
c)	mode = 14 cm	mode = 16 cm
	median = 15 cm	median = 16 cm
d)	range = 4 cm	range = 7 cm

e) The Scottish Lesser Plumed Bog Orchids appear to have a smaller average (mode/median) and a narrower range, than their English counter parts. The English Lesser Plumed Bog Orchids have a larger range and a higher average. If you wanted to see a taller orchid go on the English side of the border, but if you want to see a more 'standard size' of orchid go on the Scottish side.

Answers: P.78 – P.83

Q12 101.45, 10.145, 1014.5

Q13 mode = 50 mm inchworms

median = 50 mm inchworms

mean = 46.528 mm

Q14 Most common NC level = mode

Average age and ability = mean

Middle ability level = median

Q15 mean = £31.92

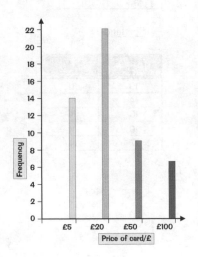

Q16 Mean (A) = 3·61 fillings per child

Mean (B) = 2·08 fillings per child

Mode (A) 4 fillings per child

Mode (B) 2 fillings per child

(all other things being equal, I would say that the dental hygienist has made a difference to the number of fillings received by each child.)

Q17 Mean = 26402/12 = 2200·2 g.

Range = 205 g

i.e. the weight of 1/10 of a bag of sugar.

The mean is near enough the value it should be, but it is an example of 'two wrongs making a right'.

The machine needs fixing to be more consistent in its weighing i.e. with a lower range.

Q18 Mean = 84/24 = 3·5 calls waiting.

Mode = 3 calls waiting.

Q19 Mean score per dart = 180 / 5 = 36 per dart.

Q20 Mean kilometres per day = 164km.

Q21 37% on 2nd paper to make his average 50%. He did better on his first paper.

Simple Probability P.80–81

Q1 a) 1/2

b) 2/3

c) 1/6

d) 0

e) 1/4

f) 1

And so should be arranged <u>approximately</u> like this on the number line.

Guatemalan stamp	Weather forecast correct	Head on a coin		Sun setting in the west in Britain
0	Five on a die		0.5 Red ball	1

Q2 a) 1/6

b) 1,2,3,4,6 are factors of 12, so 5/6

c) 1,3,5 are odd numbers so 1/2

d) 1/2

Q3 1/8

Q4 1/49

Q5 The probability of a head is still 1/2

Q6 a) 1/6

b) 0·5

c) 2/3

d) 2/3

Q7 1 - 0·27 = 0.73 or 73/100

Q8 a) 10 blue pegs

b) 2/7 + 3/5 = (10+21)/35 = 31/35

p(red) = 4/35

Q9 a) 5/12

b) 4/12 = 1/3

c) 3/12 = 1/4

d) 3/4

Q10 2/12 = 1/6 = 16·67% to 2 decimal places

Q11a) p (not raining) = 1 - 38/100 = 62/100 = 31/50

b) most likely <u>not</u> to rain

Q12 (probability of playing) = 15/30

(probability of sub) = 4/30

(probability of not) = <u>11/30</u>

Q13a) 40/132 = 10/33

b) p (car being blue or green) = 45/132

p (not blue or green) = 87/132

Q14a) 1/4

b) 1/4 × 100 = approx 25 days

Q15a) 2/2000 = 1/1000

b) 10/2000 = 1/200

c) 12/2000 to win, not win 1988/2000 = 497/500

Compound Probability P.82–83

Q1 a) 1/8

b) 2/8 = ¼

c) 3/8

d) 5/8

e) 2/8 = ¼

Q2

Die → Spinner ↓	1	1	2	3	4	5
Red	(R,1)	(R,1)	(R,2)	(R,3)	(R,4)	(R,5)
Yellow	(Y,1)	(Y,1)	(Y,2)	(Y,3)	(Y,4)	(Y,5)
Blue	(B,1)	(B,1)	(B,2)	(B,3)	(B,4)	(B,5)
Blue	(B,1)	(B,1)	(B,2)	(B,3)	(B,4)	(B,5)

b) (B,1)

c) 4/24 = 1/6

d) 2/24 = 1/12

e) 4/24 = 1/6

Q3 a)

X	6	7	8	9
3	18	21	24	27
4	24	28	32	36
5	30	35	40	45

b) 1/12

c) 1/3

d) 2/3

e) 1/6

f) 1/12

Q4 6 possible arrangements I II III, I III II, II I III, II III I, III I II, III II I

Q5 p(WIN)= (3/5 × 3/5) + (2/5 × 2/5)

= 9/25 + 4/25 = 13/25

p(LOSE)= (3/5×2/5) + (2/5×3/5)

= 6/25 + 6/25 = 12/25

a) statement C)

b) 26 in a WIN cup

Q6 a) 3/9 × 2/8 × 1/7 = 6/504=1/84

b) 6/9 × 5/8 × 4/7 = 120/504=5/21

c) 1- p(none are vowels) = 1 - p(all are consonants) = 1 - 120/504 = 384/504=16/21

Q7

	1	2	3	4
H	H1	H2	H3	H4
T	T1	T2	T3	T4

b) i) 1/8

ii) 2/8 = 1/4

iii) p(H or 3 or both) = 5/8

Q8 a) independent

b) independent

c) not independent

d) not independent

Answers: P.84 – P.87

Tree diagrams P.84–85

Q1

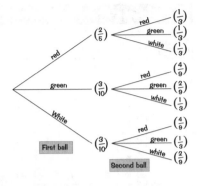

P(same colour) = P(RR) + P(GG)
+ P(WW)
= 2/15 + 1/15 + 1/15
= 4/15

Q2 a) 1/22

b)

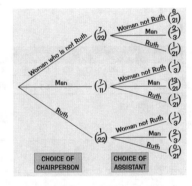

c) $\left(\frac{7}{22}\times\frac{14}{21}\right)+\left(\frac{14}{22}\times\frac{8}{21}\right)+\left(\frac{1}{22}\times\frac{14}{21}\right)$

(woman not Ruth & man)
(man & woman)(Ruth & man)

$=\frac{98}{462}+\frac{112}{462}+\frac{14}{462}$

$=\frac{224}{462}=\frac{16}{33}$

Q3 a) 2/3 × 3/5 = 6/15 = 2/5

b) 1/3 × 1/7 = 1/21

c) p(Miss bus/catch train)
+ p(Catch bus/miss train)
+ p(Miss bus/miss train)

or 1 - p(catches both) =
1 - (2/3 × 2/5)= 11/15

Q4 p(W) = 50% = 0.5
p(W) followed by p(W) followed by
p(W) followed by p(W) = $(0.5)^4$ =
0.0625

Q5 a) p(Gutfiller)

$= \dfrac{\text{5,000 Gutfillers sold in the quarter}}{\text{70,000 burgers sold altogether}}$

$= \dfrac{1}{14}$

By using relative frequencies,
probabilities can be predicted from
actual events in the past and used to
predict future events.

p(Lemon) $= \dfrac{30,000}{100,000} = \dfrac{3}{10}$

p(Donut) $= \dfrac{10,000}{30,000} = \dfrac{1}{3}$

Therefore assuming independent
events,
p(Gutfiller and lemon and donut)

$= \dfrac{1}{14}\times\dfrac{3}{10}\times\dfrac{1}{3} = \dfrac{1}{140}$

b) The most popular meal is a Supreme
burger and Cola and Ice Cream -
Ignoring fries

c) The probability of selling this meal

$= \dfrac{35,000}{70,000}\times\dfrac{50,000}{100,000}\times\dfrac{20,000}{30,000}$

$= \dfrac{1}{2}\times\dfrac{1}{2}\times\dfrac{2}{3} = \dfrac{2}{12} = \dfrac{1}{6}$

d) By knowing the most popular/
probable "meal" the manager can
order more supreme burgers /cola/
and ice cream...knowing that 1 in 6
people will order it. He could possibly
organise for supreme burgers to be
"stacked and waiting" for customers
to exercise the speed of the "fast
food" ideal, and for "Gutfillers" to be
phased out or only cooked to special
order.

Q6

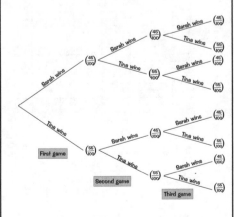

b) p (Tina wins all three) = $(0.55)^3$
= 0.166375

c) Sarah

wins   wins   loses
wins   loses   wins   4 combinations
loses   wins   wins
wins   wins   wins

$= 3\times(0.45)^2\times0.55 + (0.45)^3$
$= 0.334125 + 0.091125$
$= 0.42525$

Frequency Tables P.86–87

Q1

Mass (kg)	Frequency	Mass x Freq.
61	22	1342
62	44	2728
63	35	2205
64	19	1216

a) Median = 62kg
b) Modal weight = 62 kg
c) Mean weight = 7491÷120 =
62·43kg

Q2

Mass	49	50	51	52
Frequency	20	35	25	20
	980	1750	1275	1040

a) Median = 50kg
b) Mode = 50kg
c) Mean = 5045 ÷ 100 = 50·5 kg

Q3

No. of digits	1	2	3
Frequency	9	90	201
	9	180	603

a) mode = 3 digit pages
b) median = 150th -151st page
i.e. a 3 digit page
c) Mean = 792 ÷ 300 = 2·64
d) No, you can only have discrete, or
whole numbers of digits to
represent pages.

Q4 Median is halfway between the 365
days i.e. the 183rd day which occurs
on the 11 calls section of the table.
So median = 11calls per day
Mode is the most common =
no of calls with the largest frequency
i.e. mode = 10 calls per day

Q5

Estimate	124	126	128	132	134	136	138	140	142	144	146	148
Frequency	2	1	3	1	1	2	4	2	1	1	1	1

a) 138cm
b) Median is between 10th and 11th
measurement = 137
c) Range = 148-124 = 24cm

Q6 a) i) false   **iv)** 27.3%
  ii) false
  iii) true

Q7 a) 9
  b) 8
  c) 7.56 don't include mean - doesn't mean anything

Q8 ((mid val 5×20) + (11×32) + (12×38) + ...) / 248 = 3154 / 248 = 12·717 books or approx. 13 books per person.

Q9 1710 / 24 = 71·250kg

Q10 $\dfrac{(1 \times 27) + (2 \times 15) + 3x}{27 + 15 + x} = 2$

$\Rightarrow 57 + 3x = 2(42 + x)$
$\Rightarrow 3x - 2x = 84 - 57$
$\Rightarrow \qquad x = 27$ cars

or by symmetry if the mean is 2 then, cars with 1 and 3 occupants must be equal ie the raindrop covers 27, the same as the frequency of 1 occupant per car.

Grouped Frequency Tables P.88–89

Q1 a) 40.5, 50.5, 60.5
  b) 35.5, 45.5, 55.5, 65.5

Q2

	Dolphins			Sharks	
Time interval (seconds)	Frequency	Mid-interval value	Time interval (seconds)	Frequency	Mid-interval value
14-19	3	16.5	14-19	6	16.5
20-25	7	22.5	20-25	15	22.5
26-31	15	28.5	26-31	33	28.5
32-37	32	34.5	32-37	59	34.5
38-43	45	40.5	38-43	20	40.5
44-49	30	46.5	44-49	8	46.5
50-55	5	52.5	50-55	2	52.5

Dolphins
Mid interval × frequency column adds up to 5218·5

Mean Time = $\dfrac{5218 \cdot 5}{137}$ = 38·1 secs

Sharks
Mid Interval × Frequency column adds up to 4699·5

Mean time = $\dfrac{4699 \cdot 5}{143}$ = 32.9 secs

Q3

Sponsored Walk Donations	1p - 10p	11p - 20p	21p - 30p	31p - 40p	41p - 50p
Frequency	10	13	16	15	12
Cumulative Frequency	10	23	39	54	66

Q4 a)

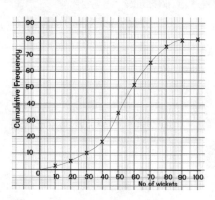

b) Median is approximately 53 wickets
c) Interquartile range = UQ - LQ
    = 66 - 42
    = 24 wickets

Q5 a) It may be TRUE... it could be 161 cm or any other number in that class 161-165.
  b) It may be TRUE... the difference between 151 to 171 or 155 to 175 leads to a range of 20cm. But... we don't know were the lengths actually are in relation to the class limits... it could be that the smallest snake is 151cm and the longest 175cm giving a range of 24cm.
  c) FALSE... The modal class is the one with the largest frequency i.e. 156–160 and this contain 8 snakes.
  d) FALSE... See reason for **a)** and also the fact that the median must be the 13th snake arranged in order, which happens in the 161-165 class.

Q6

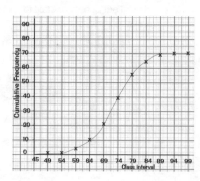

a) 73 marks
b) UQ: 78 marks
  LQ: 68 marks
c) IQR: 78 - 68 = 10 marks

Box Plots P.90

Q1 a)

Attention Span (seconds)	20 – 24	25 – 29	30 – 34	35 – 39	40 – 44	45 – 49
Frequency	2	3	12	8	3	2
Cumulative Frequency	2	5	17	25	28	30

b) and **c)**

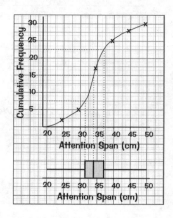

Q2 a)

Score	31 – 40	41 – 50	51 – 60	61 – 70	71 – 80	81 – 90	91 – 100
Frequency	4	12	21	32	19	8	4
Cumulative Frequency	4	16	37	69	88	96	100

b) and **c)**

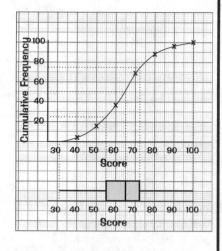

Stem and Leaf Diagrams P.91

Q1 3, 3, 3, 5, 8, 8, 9, 12, 13, 14, 14, 18, 18, 19, 20, 22, 22, 24, 31, 33.

Q2 a) 3
  b) 6
  c) 6
  d) 79
  e) 33
  f) 41.68
  g) 41

Q3

```
0 | 7 8
1 | 1 3 5 8
2 | 1 2 3 6 9
3 | 1 3 7 9
4 | 1 8
5 | 0
```

Q4

```
100 | 1 2
110 | 4 5 7 9
120 | 0 2 3 3 4 5 6 7 8
130 | 0 1 2 9
140 | 1
```

Key: 120 | 1 means 121

Q5

```
0  | 2 2 3 3 3 4 4 4 4 4
5  | 0 0 0 0 0 0 0 1 1 1 1 1 1 1 2 2 2 2 2 2 2 2 3 3 3 3 3 3 3 3 4 4 4 4 4 4 4
10 | 0 0 0 0 0 0 0 1 1 1 1 1 1 2 2 2 2 2 3 3 3 3 4 4 4 4
15 | 0 0 1 1 1 2 4
20 |
```

Scatter Graphs P.92

Q1   DIAG A - LABEL S
         DIAG B - LABEL R
         DIAG C - LABEL P
         DIAG D - LABEL U

Q2

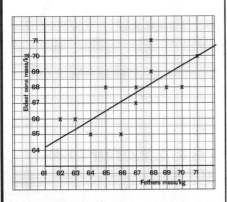

Dependent upon your line of best fit,
answers to **c)** can vary a great deal
... in mine   **61kg ≡ 64·2kg**
              father   son

Q3 a)

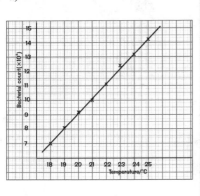

b) i) 21·3 - 21.4°C
ii) 12.7 - 12.8×10^4
       i.e. 127,000 - 128,000 bacteria

Bar Charts P.93

Q1 a)

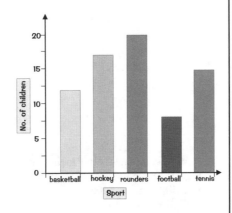

b) Football
c) 72 children (assuming they each
played only one game).
d) 9 children
e) 12
f) Rounders

Q2 a)

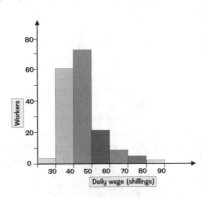

b) 41-50 shillings per day
c) The 87th person in the class earns
41-50 shillings per day.
d)

Daily Wage (shillings)	21-30	31-40	41-50	51-60	61-70	71-80	81-90
Mid interval values	25.5	35.5	45.5	55.5	65.5	75.5	85.5
Number of Workers	4	60	72	20	8	6	3

Mean = 45 shillings per day
e) No. You can only tell how many
earned in a particular <u>class
interval</u>.

Q3

Chocolate bar	No.
Maas	IIII II
Trix	IIII
Kit-Kit	IIII
Llama bar	IIII IIII
Fudgey	IIII I

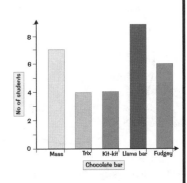

Modal bar = Llama

Q4

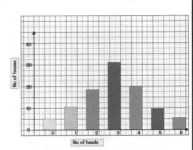

Mean = 3·02 heads.
Mode = 3 heads
Median = 3 heads
Range = (6-0) = 6

The mean, mode and median are
what we would expect them to be
and if we look at the spread of the
data, it is roughly symmetrical.
Therefore the coins appear to be
unbiased.

Answers: P.94 – P.96

Pie Charts P.94–95

Q1
Swash	$4 \times 22 = 88°$
Sudso	$4 \times 17 = 68°$
Bubblefoam	$4 \times 18 = 72°$
Cleanzo	$4 \times 21 = 84°$
Wondersuds	$4 \times 12 = \underline{48°}$
	$\overline{360°}$

Q2 a) Overslept - 20% of 200 = 40
b) chickenpox=14.4°
broken fingers=18°
flu=82.8°
overslept=72°
cold=140.4°
doc=32.4°

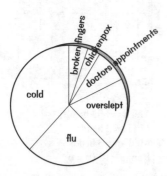

Q3 Scotland 380,000 = 148° (approx)
2,600 students = 1°

Hence:
England = 2600 × 118° = 310,000
Wales = 2600×44° = 110,000
N.Ireland = 2600×50° = 130,000

(all to the nearest 10,000)

Q4 Part **c)**

Q5 a) 25%
b) butter

$$\frac{1}{6} + \frac{1}{8} = \frac{7}{24}$$

c) which as a percentage is 29% to the nearest degree.

d) $\frac{1}{8}$ of 360° = 45°

e) $\frac{1}{3}$

f) i) 66·67g or 67g
ii) 30°

Q6 Bike Tax = £50 = 40°

$$£\frac{50}{40} = 1°$$

DIY Service and Tyres $40° = 40 \times \frac{50}{40} = £50$

Insurance $160° = 160 \times \frac{50}{40} = £200$

Petrol $120° = 120 \times \frac{50}{40} = £150$

a) Missing angle is 160° for insurance.
b) i) DIY Service and Tyres £50
ii) Insurance £200
iii) Petrol £150
iv) Running costs for the year = £450
c) Remains at 160°, as all separate costs have increased.

Q7 Do the Tights and Spendthrifts have the same budget? The pie charts are not the same size. Does this mean that one has a larger budget than the other?
The angles are all the same, for each of the sectors, but arranged differently around the pie; this makes it difficult to make comparisons. Your eye cannot hold the angle so a comparison cannot be made.
For this reason a dual bar chart would be the best diagram to draw.
A pie chart shows proportions and not actual amounts so as a statistical diagram it is not good for comparative data.

Q8

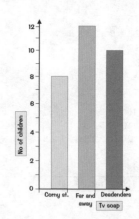

$$\frac{8}{30} \times 360 = 96°$$

$$\frac{12}{30} \times 360 = 144°$$

$$\frac{10}{30} \times 360 = 120°$$

Graphs and Charts P.96–97

Q1 a)

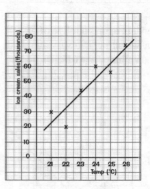

b)

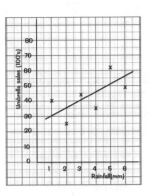

c)

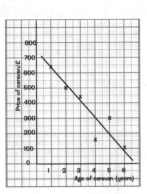

d)

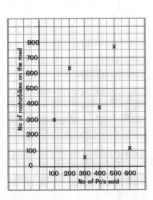

Q2 a)

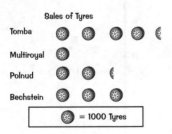

b)

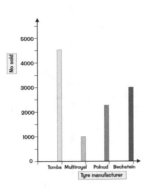

Q3

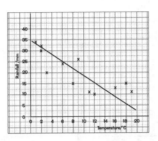

Good negative correlation.

Q4 a) Tally chart

Level of skier	No.
Beginner	ⵘ III
Intermediate	ⵘ ⵘ
Good	IIII
Very good	III
Racer	III

b) Bar chart

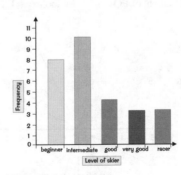

c) Most common type of skier is Intermediate.

Q5

Time (hrs)	No.
2-2½ hrs	II
2½-3 hrs	III
3-3½ hrs	III
3½-4 hrs	III
4-4½ hrs	I

There are 3 equal Modal times: 2½-3 hrs, 3-3½ hrs & 3½-4 hrs.

Q6 Complaints have not "tailed off" - they have remained the same (approx 10,450) per month. The number of complaints is not increasing but there are still nearly 10,500 per month, every month. The products cannot possibly be getting made to a higher quality if the complaints remain the same each month.

Q7 a) 15,000 lorries
b) 1995
c) 7,500 lorries
d) 55,000

Q8 Wording gives impression of fantastic sales. Scales are not numbered or sized so cannot tell what increase is occurring, or when. The use of 3D objects 'round cheeses' gives the eye a misleading impression of size...the width and height are doubling and trebling when compared to first cheese.

It would be better to use a bar chart or line graph.

Answers: P.98 — P.100

Gradients of Lines P.98–99

Q1

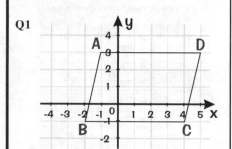

missing coordinate = (5,3)

Q2

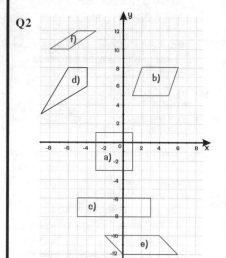

a) B is (1, -3)
b) C is (5, 5)
c) A is (-5, -8)
d) D is (-4, 6)
e) D is (0, -12)
f) C is (-3, 12)

Q3

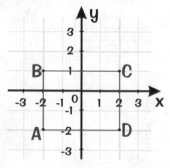

C = (2, 1), D = (2, -2)

Q4

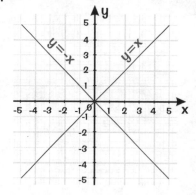

Q5

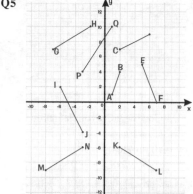

Gradient of AB = 3	Midpoint = (1½, 2½)
Gradient of CD = 1/2	Midpoint = (4, 8)
Gradient of EF = -5/2	Midpoint = (6, 2½)
Gradient of GH = 3/5	Midpoint = (-4½, 8½)
Gradient of IJ = -2	Midpoint = (-4½, -1)
Gradient of KL = -3/5	Midpoint = (4½, -7½)
Gradient of MN = 3/5	Midpoint = (-5½, -7½)
Gradient of PQ = 3/2	Midpoint = (-1, 7)

Q6

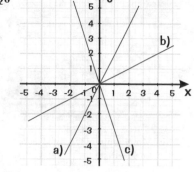

Q7

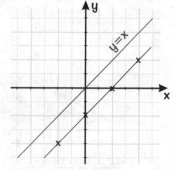

The lines are parallel.

Straight Line Graphs P.100–101

Q1 a)

x	0	1	2	3	4	5	6
y	2	3	4	5	6	7	8

b)

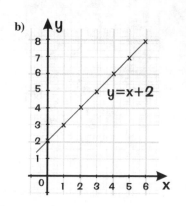

$y = x + 2$

c) (0, 2)
d) 1

Q2 a)

x	0	1	2	3	4	5	6
y	1	3	5	7	9	11	13

b)

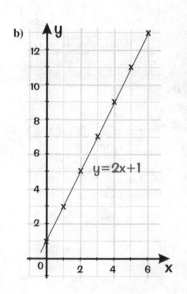

$y = 2x + 1$

Answers: *P.100 — P.103*

c) (0, 1)
d) 2

Q3 a)

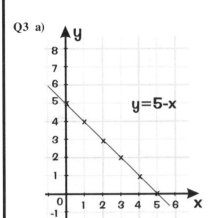

b) (0, 5)
c) -1

Q4

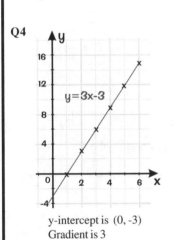

y-intercept is (0, -3)
Gradient is 3

Q5

y-intercept is (0, 3)
Gradient is 1/2

Q6 a) 4, (0, 2)
b) 5, (0, -1)
c) 6, (0, 0)
d) 2, (0, 5)
e) -3, (0, 12)
f) 1, (0, 0)
g) -1, (0, 3)
h) -2, (0, 10)
i) 1/2, (0, 2)
j) 4, (0, -5)

Q7 $m = 3, c = 8$

Q8 $m = 1, c = -2$

Q9 A; Grad' = 1, inter' = 3, y = x + 3
B; Grad' = 2, inter' = 5, y = 2x + 5
C; Grad' = 1/2, inter' = -4, y = ½x – 4
D; Grad' = -1, inter' = 7, y = -x + 7

Q10a) y = -3x – 1
b) 5

Q11

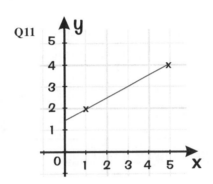

Gradient = ½
Intercept = (0, 1½)
y = x/2 + 3/2

Q12

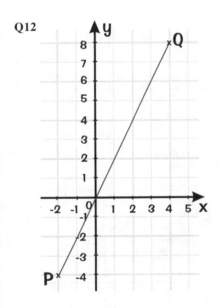

Gradient = 2
Intercept = (0, 0)
y = 2x

Quadratic Graphs P.102–103

Q1

x	-4	-3	-2	-1	0	1	2	3	4
y=2x²	32	18	8	2	0	2	8	18	32

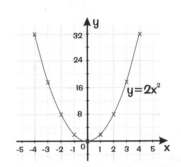

Q2

x	-4	-3	-2	-1	0	1	2	3	4
x²	16	9	4	1	0	1	4	9	16
y=x²+x	12	6	2	0	0	2	6	12	20

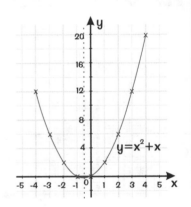

d) minimum turning point = (-1/2, -1/4)

Q3

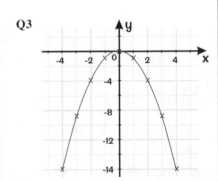

b) maximum, (0, 0)
c) A reflection in the x-axis

Q4 a)

x	-4	-3	-2	-1	0	1	2	3	4
3	3	3	3	3	3	3	3	3	3
-x²	-16	-9	-4	-1	-0	-1	-4	-9	-16
y=3-x²	-13	-6	-1	2	3	2	-1	-6	-13

b)
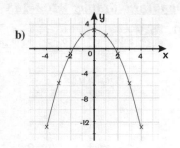

c) $(0, 3)$
d) 3

Q5 a)

x	-2	-1	0	1	2	3	4
x^2	4	1	0	1	4	9	16
-4x	8	4	0	-4	-8	-12	-16
1	1	1	1	1	1	1	1
$y=x^2-4x+1$	13	6	1	-2	-3	-2	1

b) & c)

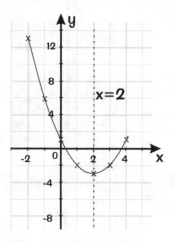

d) -3
Q6 a) min
    b) max
    c) max
    d) min

Q7 a) & b)

x	-3	-2	-1	0	1	2	3	4	5
x^2	9	4	1	0	1	4	9	16	25
-2x	6	4	2	0	-2	-4	-6	-8	-10
-8	-8	-8	-8	-8	-8	-8	-8	-8	-8
$y=x^2-2x-8$	7	0	-5	-8	-9	-8	-5	0	7

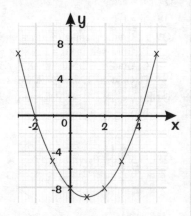

c) $x = 1$
d) $(1, -9)$

Recognising Graphs P.104

Q1

x	-4	-3	-2	-1	0	1	2	3	4
y	-1	-1⅓	-2	-4	✕	4	2	1⅓	1

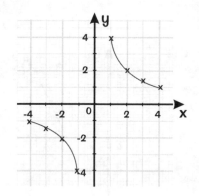

Q2 a)
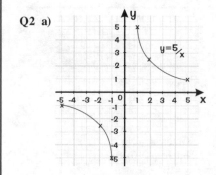

b)
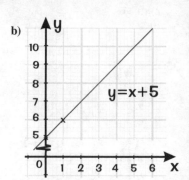

c)
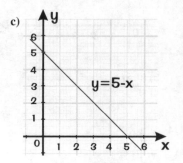

d)
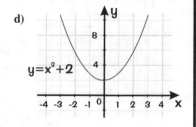

Answers: P.104

e)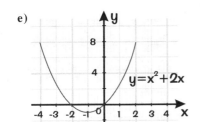

$y=x^2+2x$

f)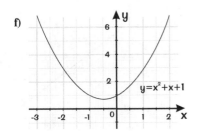

$y=x^2+x+1$

g)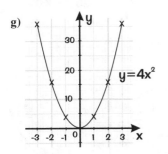

$y=4x^2$

h)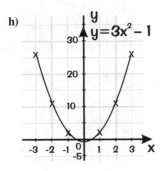

$y=3x^2-1$

i)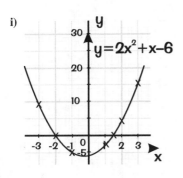

$y=2x^2+x-6$

j)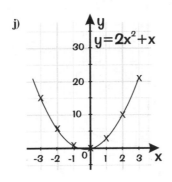

$y=2x^2+x$

k)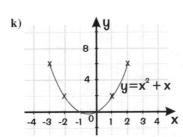

$y=x^2+x$

l)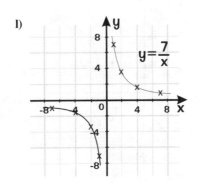

$y=\dfrac{7}{x}$

m)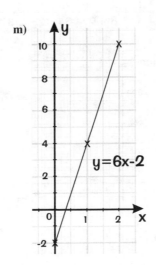

$y=6x-2$

n)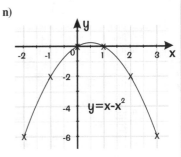

$y=x-x^2$

o)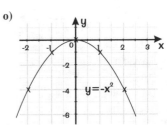

$y=-x^2$

p)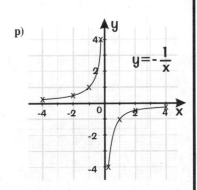

$y=-\dfrac{1}{x}$

Real Life Graphs P.105–108

Q1 a) 8 km
b) 32 km
c) 18 km
d) 37 km

Q2 a) 6 miles
b) 13 miles
c) 17 miles
d) 22 miles

Q3 1.6

Q4 a) 4°C
b) 15°C
c) 24°C
d) 49°C

Q5 a) 50°F
b) 82°F
c) 104°F
d) 118°F

Q6 37°C

Answers: P.105 — P.107

Q7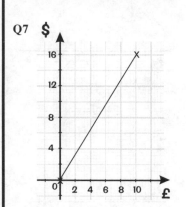

a) $11.2
b) £3.75
c) Greater

Q8 a)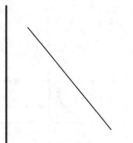

b)

c)

d)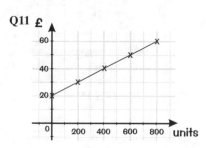

Q9 a) 4
  b) 5
  c) 2
  d) 3

Q10 1 D
   2 B
   3 A
   4 E
   5 C

Q11 £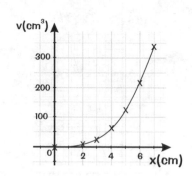

a) £51
b) 580 units
c) 290 units

Q12

x cm	1	2	3	4	5	6	7
v cm³	1	8	27	64	125	216	343

a) 6.3 cm
b) 43 cm³

Q13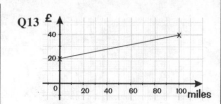

a) £30
b) 100 miles

Q14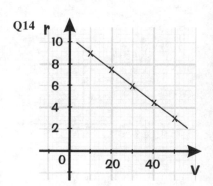

c = 10.5
m = -0.15

Q15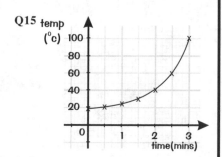

a) 2¼ min
b) ¾ min

Answers: P.107 — P.108

Q16

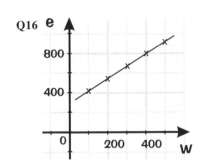

a = 1.25
b = 300

Q17a) A, £30
b) £38

Q18

x	1	2	3	4	6	9	12	18	36
y	36	18	12	9	6	4	3	2	1

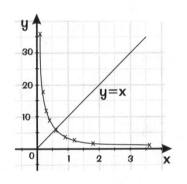

a) 14.4 cm
b) 6 cm

Q19

		¹G				³S		⁶C		⁴M
		R								
	²T	A								A
⁵Q	U	A	D	R	A	T	I	C		X
	R	I				R		U		I
	N	E				A		B		M
	N	N		⁷M	I	N	I	M	U	M
	I	T				G		C		U
	N					H				M
	⁸N	E	G	A	T	I	V	E		

Answers: P.110 — P.111

Negative Numbers   P.109–110

Q1 a) 32°C
   b) 10°C
   c) 50°C
   d) 46°C
   e) 33°C
   f) 4°C
   g) 5°C
   h) 22°C
   i) 64°C

Q2 a) 40°C
   b) 28°C
   c) 17°C
   d) 70°C
   e) 15°C
   f) 25°C
   g) 80°C
   h) 2°C
   i) 25°C

Q3 a) 9°C
   b) 17°C
   c) 2°C

Q4   -5°C

Q5 a) rough: 7, calculator: 6
   b) rough: 280, calculator: 194

Q6 a) 70 m
   b) 70 m
   c) 70 m
   d) 210 m
   e) 140 m
   f) 140 m

Q7   48 years (between 47 and 49 strictly)

Q8   1800m

Q9 a) −14°C < 16°C
   b) −10°C > -15°C
   c) 8°C > −3°C
   d) 14°C > -48°C
   e) 0°C > −13°C
   f) −4°C > −8°C
   g) −20°C < −14°C
   h) −3°C < 0°C
   i) 29°C > -3°C
   j) −4°C < 30°C
   k) −4°C > −5°C
   l) −80°C < −78°C

Q10a) 8
   b) −1
   c) −10
   d) −7
   e) 0
   f) −5
   g) 0
   h) 6
   i) −3
   j) −7
   k) −5
   l) 80
   m) 5
   n) 7
   o) −8
   p) 13

Q11 −7 < −6, 1

Q12a) −2
   b) +6
   c) −3
   d) −8

Q13a) 3x
   b) 2x
   c) 7x
   d) −y
   e) −5y
   f) 6x
   g) 6x
   h) 8y
   i) −3w
   j) −12w
   k) −6n
   l) −124q
   m) 4x
   n) 4y
   o) -2z
   p) 3y

Q14a) 12
   b) −10
   c) 3
   d) −2
   e) 2
   f) −16
   g) −4
   h) 3
   i) −120
   j) 12
   k) −8
   l) −2

Q15a) 80, 5
   b) −72, −18
   c) −160, −10
   d) −54, −6
   e) −1000, −10
   f) −96, −6

Q16 21>11, so a) by 10

Q17 3

Q18a) 8xy
   b) −6xy
   c) −40xy
   d) 8xyz
   e) −8pq
   f) −16ab
   g) 60abc
   h) −32xy
   i) −2 x/y
   j) 10 x/y
   k) 10 x/y
   l) 10 x/y
   m) 5
   n) −10
   o) −5
   p) 3

Square Roots and Cube Roots P.111

Q1 a) 2 and −2
   b) 4 and −4
   c) 3 and −3
   d) 7 and −7
   e) 5 and −5
   f) 10 and −10
   g) 12 and −12
   h) 8 and −8
   i) 9 and −9

Q2 a) 8
   b) 4
   c) 6
   d) 14
   e) 23
   f) 9
   g) 27
   h) 1
   i) 13
   j) 85
   k) 1000
   l) 5

Q3 a) 6.7 and −6.7
   b) 4.2 and −4.2
   c) 9.5 and −9.5

Q4 a) 3
   b) 7
   c) 9
   d) 8

Q5   15.34 m

Q6   180 m

Q7 a) 5
   b) 12
   c) 10
   d) 9
   e) 11
   f) 20
   g) 1
   h) 0.5
   i) 6
   j) 7
   k) 16
   l) 100

Q8 a) 5
   b) 12
   c) 6
   d) 16
   e) 7
   f) 0.5

Answers: P.112 — P.115

Standard Index Form
P.112–113

Q1

Number	Standard form
4500000000	4.5×10^9
19300000000000	1.93×10^{13}
8200000000000	8.2×10^{12}
82000000	8.2×10^7
634000000	6.34×10^8
4020000	4.02×10^6
423400000000	4.234×10^{11}
84310000	8.431×10^7
103000	1.03×10^5
4700	4.7×10^3

Number	Standard form
0.000000006	6×10^{-9}
0.00000000072	7.2×10^{-10}
0.0000085	8.5×10^{-6}
0.000000143	1.43×10^{-7}
0.0000712	7.12×10^{-5}
0.000000000368	3.68×10^{-10}
0.00000004003	4.003×10^{-8}
0.0000009321	9.321×10^{-7}
0.0052	5.2×10^{-3}
0.0000009999	9.999×10^{-7}
0.00000000802	8.02×10^{-9}
0.0000023104	2.3104×10^{-6}
0.000001	1×10^{-6}

Q2 a) 6.94×10^8 km
b) 8.6×10^6 km^2
c) 4500000000 years
d) 3700 miles
e) 0.00000000000000000016 C
f) 0.000000000032 J
g) 603300000000000000000000
h) 4.0076×10^4 km
i) 2.49231×10^8 people
j) 6.763×10^3 miles
k) 28000000000 J
l) 3×10^{-13} cm
m) 11000000000 people

Q3 a) 9.66×10^5
b) 3.28×10^5
c) 3×10^{-3}
d) 2.5×10^5
e) 2×10^5
f) 4×10^4

Q4 a) 2.4×10^{10}
b) 1.6×10^6
c) 1.8×10^5

Q5 1.04×10^{13} is greater by 5.78×10^{12}

Q6 1.3×10^{-9} is smaller by 3.07×10^{-8}

Q7 a) 4.2×10^7
b) 3.8×10^{-4}
c) 1.0×10^7
d) 1.12×10^{-4}

e) 8.43×10^5
f) 4.232×10^{-3}
g) 1.7×10^{18}
h) 2.83×10^{-4}
i) 1×10^{-2}

Q8 7×10^6

Q9 6.38×10^8 cm

Q10 a) 510000000 km^2
b) 3.62×10^8 km^2
c) 148000000 km^2

Q11 a) 1.8922×10^{16} m
b) 4.7305×10^{15} m

Q12 3.322×10^{-27} kg

Powers (indices) P.114–115

Q1 a) 16
b) 1000
c) $3 \times 3 \times 3 \times 3 \times 3 = 243$
d) $4 \times 4 \times 4 \times 4 \times 4 \times 4 = 4096$
e) $1 \times 1 \times 1 \times 1 \times 1 \times 1 \times 1 \times 1 = 1$
f) $5 \times 5 \times 5 \times 5 \times 5 \times 5 = 15625$

Q2 a) 256
b) 248832
c) x^5
d) m^3
e) y^4
f) z^6

Q3 b) 10^7
c) 10^6
d) 10^8
e) Simply add the powers.

Q4 a) 2^2
b) 2^3
c) 4^2
d) 8^3
e) Simply subtract the powers.

Q5 a) true
b) true
c) false
d) false
e) true
f) false
g) false
h) true
i) true
j) true
k) true
l) false

Q6 a) 10^2
b) 8^4
c) 6^5
d) x^5
e) a^9
f) p^{15}
g) x
h) a^2
i) h^4

Q7 a) 64
b) 243
c) 10,000

d) 4
e) 248832
f) 3375
g) 2197
h) 1
i) 1
j) 390625

Q8 a) 0.2
b) 0.01
c) 0.02
d) 0.125
e) 0.00001
f) 0.01
g) 0.0625
h) 1

Q9 a) false
b) false
c) true
d) true
e) false
f) true

Q10 a) 2
b) 2^6
c) 4^{-4}
d) 4^3
e) 8^2
f) 4^8
g) 7^1
h) 8^{12}
i) x^5
j) y^5
k) 1
l) m^2
m) 3^{-6}
n) 3^{-6}
o) x^6
p) 4^{-4}

Q11 a) x^8
b) y^{12}
c) z^{20}
d) x^{-6}
e) y^{-6}

Q12 $n = -2$

Q13 0.001, or 10^{-3}

Q14 a) 2
b) -2
c) 3
d) -2
e) 0
f) 6
g) 3
h) 3
i) -1
j) 1

Q15 a) 3^{-3}
b) 4^{25}
c) 10^{-13}
d) 3^{-12}
e) 4^6
f) 5^3

Answers: P.116 — P.120

Solving Equations P.116–118

Q1 a) x = 5
   b) x = 4
   c) x = 8
   d) x = 4
   e) x = 19
   f) x = -2
   g) x = -9
   h) x = -8
   i) x = 44
   j) x = 21
   k) x = 40
   l) x = 10
   m) x = 3
   n) x = ½
   o) x = 7
   p) x = 8
   q) x = 3
   r) x = 7

Q2 a) x − 8 = 32
   b) x = 40

Q3 a) 3x + 7 = 19
   b) x = 4

Q4 a) x + 86
   b) x + 156
   c) x + x + 86 + x + 156 = 776
       so x=178
   d) Ben 178, Andrew 264, Carl 334

Q5 Mary 12, Mother 41, Father 48

Q6 t = 20

Q7 x = £15.50

Q8 a) x = 8
   b) x = 6
   c) x = 6
   d) x = -8
   e) x = -3
   f) x = 5
   g) x = 2½
   h) x = 2
   i) x = 6
   j) x = -2
   k) x = 2
   l) x = 9
   m) x = 2
   n) x = 3

Q9 a) x = -5½
   b) x = 5
   c) x = 0
   d) x = −1
   e) x = 11⅔
   f) x = 13
   g) x = -4
   h) x = 3
   i) x = 4
   j) x = -1

Q10a) x = 6
   b) x = 9
   c) x = 8
   d) x = 15
   e) x = 110
   f) x = 4
   g) x = 27
   h) x = 128
   i) x = 36
   j) x = 66
   k) x = 10
   l) x = 100
   m) x = 21
   n) x = 500
   o) x = 700
   p) x = 5
   q) x = 5
   r) x = 8
   s) x = 7.5
   t) x = 4.5

Q11a) p = 5x − 12
   b) x = 5
   c) Paid £17. Sold for £30.

Q12a) 4x = 236, x = 59°
   b) 3x = 255, x = 85°
   c) 11.5x = 345, x = 30°
   d) 10x = 350, x=35°

Q13a) x, 2x, x − 232
   b) 4x = 2632, x = 658
   c) 1316, 426.

Q14a) p = 2x + 32
   b) a = 12x
   c) x = 3.2

Q15 Susan = 207
   John = 60
   Elizabeth = 69

Q16a) 11x = 352, x = 32°
   b) 16°, 32°, 132°, obtuse.

Q17a) x + (x + 1) = 267
   b) 133, 134

Q18a) m = 3¾
   b) p = -8
   c) t = 4
   d) z = 16

Q19a) x = 2.5
   b) x = -2
   c) x = 2
   d) x = 5.73

Q20 2x = 20, x = 10
   2 lengths 10 cm and 16 cm

Q21 x = 1

Q22 x = 8

Q23a) x = 7
   b) x = 6
   c) x = 5
   d) x = 8
   e) x = 10
   f) x = -7⅓

Q24 x = -2

Q25 25

Q26 8

Q27a) x = 3/4
   b) x = -1
   c) x = -6
   d) x = -1
   e) x = 4/9
   f) x = 13/11

Q28 39, 35, 8

Substituting Values P.119—120

Q1 a) 15
   b) 1
   c) 36
   d) 9
   e) 18
   f) 72

Q2 a) 520p
   b) 450p

Q3 a) 70
   b) 480

Q4 a) 100
   b) 25
   c) 121

Q5 27.6

Q6 301.44

Q7 a) 150p
   b) 350p
   c) 475p

Q8 a) 100mins
   b) 170mins

Q9 20cm², 87.33 cm², 150mm²

Q10a) £2000
   b) £5150
   c) £12,600

Q11a) 50.24cm²
   b) 314 cm²
   c) 803.84 cm²

Q12a) 1.5 Ohms
   b) 24 Ohms

Q13a) 540
   b) 720
   c) 1080

Q14a) 243
   b) 169
   c) 2½
   d) 5
   e) 130
   f) 50

Q15a) 35ºC
   b) 45ºC
   c) 75ºC
   d) 85ºC
   e) −10ºC

Answers: P.121 — P.125

Growth and Decay P.121

Q1 a) £473.47
b) £612.52
c) £909.12
d) £1081.90

Q2 a) 281
b) 3036

Q3 a) 8.214 kg
b) 7.497 kg
c) 7.272 kg
d) 3.836 kg

Q4 a) £1920.80
b) £27671.04 (after 4 weeks)
c) £434.06
d) £34,974.86

Solving Equations the Easy Way P.122—123

Q1 a) $2x + 4 = 10$, $x = 3$
b) $5x + 2 = 22$, $x = 4$
c) $2x - 7 = 13$, $x = 10$
d) $2(x + 3) = 20$, $x = 7$
e) $28 - 2x = 16$, $x = 6$

Q2 a) $x = 3$
b) $x = 3$
c) $x = 9$
d) $x = 10$
e) $x = 36$
f) $x = -10$
g) $x = -15$
h) $x = 5$
i) $x = 24$

Q3 a) $x = 3$
b) $x = 3$
c) $x = 3$
d) $x = 8$
e) $x = 13$
f) $x = 2$
g) $x = 8$
h) $x = 2$
i) $x = 4$

Q4 a) $x = 40$
b) $x = 40$
c) $x = 27$
d) $x = -20$
e) $x = 35$
f) $x = -48$
g) $x = 6$
h) $x = 16$

Q5 a) $x = 2$
b) $x = 4$
c) $x = 10$
d) $x = 5$
e) $x = 9$

Q6 a) $x = 7$
b) $x = 11$
c) $x = 4$

Q7 a) 7
b) 5

Q8 a) $4x + 3 = 3x + 9$, $x = 6$
b) $3x - 4 = x + 12$, $x = 8$
c) $3(x + 1) = 2x + 4$, $x = 1$

Q9 a) $x = 3$
b) $x = 6$
c) $x = 2$
d) $x = 3$
e) $x = 1$

Q10 a) $x = 2$
b) $x = 14$
c) $x = 11$
d) $x = 12$

Q11 $16 = (x + 3) + x + (x - 2)$
$16 = 3x + 1$, $x = 5$

Q12 $150 = 2x + x + 3x$
$x = 25$

Q13 a) $x = 40°$
b) $x = 60°$
c) $x = 20°$
d) $x = 20°$

Q14 a) $x = 9$ cm
b) $x = 14$ cm

Q15 a) $x = 5$
b) $x = 2$
c) $x = 8$
d) $x = 17$
e) $x = 6$
f) $x = 5$
g) $x = 4$
h) $x = 9$

Basic Algebra P.124—127

Q1 a) $15x - y$
b) $35a + 24b$
c) $-6f - 14g$
d) $13ab + 14cd$
e) $6x^2 - 2x$
f) $12x^2 - 5x$
g) $11y^2 + y + 6$
h) $7xy + 18x$
i) $23abc + 10ab$
j) $20xy$

Q2 a) x^2
b) $2x^2$
c) $4x^2$
d) $12ab$
e) $12pq$
f) $24fg$
g) $-8de$
h) $2ab$
i) $3xy$
j) 0
k) $5x$
l) $4^x/y$
m) x
n) $4ab$
o) $5y$

Q3 a) $2x + 2y$
b) $4x - 4y$
c) $8x^2 + 8y^2$
d) $12x - 24$
e) $-2x + 10$
f) $-y + 2$
g) $xy + 2x$
h) $xy + x^2$
i) $x^2 + xy + xz$
j) $10a + 10b$
k) $7x + 15y$
l) $7x + 7y$
m) $3a + 6b$
n) $2x - 6$
o) $16m - 8n$

Q4 a) $x^2 + x$
b) $-8 - 2x$
c) $-z - 1$
d) $2x^2 + x^2y$
e) $3x^3 + 4x^2 + x^2y$
f) $5p^3 + 5p$
g) $30q + 45r^2$
h) $-4e^2 + 4f - 16$
i) $-p^2 - 4pq$
j) $5x^2 + 5x$
k) $2x^2 + 6y^2 + 10xy$
l) $2ab + 2ac + 2bc$

Q5 a) z
b) a
c) $2y(z - 3)$
d) $3xy$
e) $(a - 4)(a - 2)/3bc$
f) $4x(a - 4)(y - 9)^2/(z - 2)$

Q6 a) $x^2, 4x, 2x, 8$
b) $y^2, 8y, 5y, 40$
c) $z^2, 10z, 3z, 30$

Q7 a) $x^2 + 6x + 8$
b) $y^2 + 13y + 40$
c) $z^2 + 13z + 30$

Q8 a) $x^2 + 3x + 2$
b) $x^2 + 5x + 6$
c) $x^2 + 9x + 20$
d) $x^2 + 12x + 20$
e) $x^2 + 4x - 5$
f) $x^2 - x - 6$
g) $x^2 - 2x - 3$
h) $x^2 + x - 20$
i) $x^2 - 3x + 2$
j) $x^2 - 7x + 12$
k) $x^2 - 7x + 10$
l) $x^2 - 13x + 30$
m) $x^2 + 5x - 50$
n) $x^2 + 7x + 10$
o) $x^2 + x - 6$
p) $x^2 - 12x + 32$

Q9 a) $4x^2 + 8x + 4x + 8 = 4x^2 + 12x + 8$
b) $9y^2 + 6y + 3y + 2 = 9y^2 + 9y + 2$
c) $2z^2 + 6z + z + 3 = 2z^2 + 7z + 3$

Q10 a) $4x^2 + 6x + 2$
b) $2x^2 + 5x + 3$
c) $9x^2 + 18x + 8$
d) $3x^2 + 7x + 2$

Answers: P.125— P.129

e) $4x^2 - 6x + 2$
f) $4x^2 - 10x + 6$
g) $9x^2 - 6x + 1$
h) $16x^2 - 20x + 6$
i) $4x^2 + 2x - 2$
j) $2x^2 - x - 6$
k) $2x^2 + 2x - 4$
l) $2x^2 - 5x - 3$
m) $2x^2 + 15x - 50$
n) $7x^2 + 5x - 12$
o) $-6x^2 + 4x + 2$
p) $6x^2 + 13x + 6$

Q11a) $2(x + 2y)$
b) $3(x + 4y)$
c) $3(3x + y)$
d) $4(4x + y)$
e) $2(x + 6)$
f) $3(x + 5)$
g) $12(2 + x)$
h) $10(3 + x)$
i) $4(x - 10)$
j) $5(x - 3)$
k) $7(x - 7)$
l) $8(x - 4)$
m) $2(5x - 4y)$
n) $9(4x - 3y)$
o) $8(3x - 4y)$
p) $6(4x - 7)$

Q12a) $2x(y + 2x)$
b) $2x(y - 4x)$
c) $2x(y - 8xz)$
d) $2x(2y - 3x)$
e) $2x(5x - 3x) = 2x(2x)$
f) $2x(5x - 3)$
g) $2x(y - 2z)$
h) $2x(6y+5z)$

Q13a) $2y(x + 2z)$
b) $a(4b + 2c - d)$
c) $3p(3q + 2r + s)$

Q14a) $a^2(b + c)$
b) $a^2(11)$
c) $a^2(5 + 13b)$
d) $a^2(2b + 3c)$
e) $a^2(10b^2 + 9c^2)$
f) $a^2(a + y)$
g) $a^2(2x + 3y + 4z)$
h) $a^2(2b + 3c + 1)$
i) $a^2(b^2 + c^2)$

Q15a) $5x^2y$
b) $17x^2y$
c) $x^2y(11 + y)$
d) $x^2y(5 + 4y)$
e) $x^2y(1 + y)$
f) $x^2y(1 + x + y)$

Q16a) $4xyz(3)$
b) $4xyz(5)$
c) $4xyz(2 + 4x)$
d) $4xyz(5xy + 4z)$

Q17a) $2(x + 3)$
b) $4(x + 4)$

c) $5(x + 6)$
d) $3(x - 6)$
e) $x(2 + y)$
f) $y(3 + x)$
g) $y(3 + xy)$
h) $4y(1 - 2z)$
i) $6x(1 + 2y)$
j) $10z(1 + 2y)$
k) $12x(1 + 2yz)$
l) $5x(x + 2)$
m) $7x(x + 3)$
n) $8x(2x + 1)$
o) $9y(2y - 1)$

Q18a) $7abc(ac + 2b + 3bc + 4abc)$
b) $10x^2yz(10 + 9x + 8y + 7 + 6z)$
$= 10x^2yz(19 + 9x + 8y + 6z)$

Q19a) $4(x + y)$
b) $8(2x + y)$
c) $5(x + y + z)$
d) $7(2x + y)$
e) $10(2x - y)$
f) $3a(x + y)$

Q20 $a^2 + 2b^2 + a + b + 8$

Q21a) $4x + 28$
b) $x^2 + 14x + 40$

Q22a) $4x$
b) $20 + 8x$
c) $40x$
d) $28x$

Q23a) $8x + 16$
b) $4x^2 + 16x + 16$
c) $3x^2 + 12x + 12$

Q24a) $14x - 28y + 14z$
b) $-x + y$
c) $2x + 14$
d) $4x^3 - 2x^3y + 3x^2$
e) $2pr + 2qr$
f) $x - 7$

Q25a) $5x + 85$
b) $x^2 + 8x - 20$
c) $x^2 - 8x + 16$
d) $x^2 + 9x + 18$

Q26 $14x^2 + 9x - 18$

Q27 $3x^2 + 5x - 2$

Q28a) $x^2 + 2x + 1$
b) $x^2 - 6x + 9$
c) $4x^2 + 4x + 1$

Quadratics P.128—130

Q1 a) $(x + 2)(x + 1)$
b) $(x + 3)(x + 2)$
c) $(x + 3)(x + 5)$
d) $(x + 2)(x + 5)$
e) $(x + 3)(x + 9)$
f) $(x + 3)(x + 12)$
g) $(x + 6)(x + 4)$
h) $(x + 3)(x + 8)$
i) $(x + 6)(x + 6) = (x + 6)^2$

Q2 a) $x(x + 3)$
b) $x(x + 8)$

c) $x(x + 10)$
d) $x(x - 4)$
e) $x(x - 8)$
f) $x(x - 20)$
g) $x(2 - x)$
h) $x(5 - x)$
i) $x(9 - x)$

Q3 a) $(x + 3)(x - 2)$
b) $(x - 4)(x + 3)$
c) $(x - 7)(x + 5)$
d) $(x - 8)(x + 4)$
e) $(x - 9)(x + 6)$
f) $(x - 3)(x - 2)$
g) $(x - 2)(x - 4)$
h) $(x - 5)(x - 6)$
i) $(x - 10)(x - 3)$
j) $(x - 7)(x - 4)$
k) $(x + 5)(x - 8)$
l) $(x - 2)(x + 12)$

Q4 a) $(x + 3)(x - 3)$
b) $(x + 8)(x - 8)$
c) $(2x + 6)(2x - 6)$
d) $(3x + 10)(3x - 10)$
e) $(x + y)(x - y)$
f) $(4x + 5y)(4x - 5y)$

Q5 $(x + 100)(x - 10)$

Q6 a) -4 or 3
b) -2, or -8
c) 1 or 7
d) -4 or -18
e) 3 or 11
f) 2
g) -3
h) 9
i) -4
j) 25
k) 0 or -4
l) 0 or 7
m) 0 or -30
n) 0 or -2
o) 3 or 4

Q7 a) $(x + 2)(x + 4), -2, -4$
b) $(x + 5)(x - 2), -5, 2$
c) $(x + 5)^2, -5$
d) $(x - 3)(x - 2), 3, 2$
e) $(x-3)^2, 3$
f) $(x - 1)^2, 1$
g) $(x - 6)(x + 3), 6, -3$
h) $(x - 3)(x - 1), 3, 1$
i) $(x - 2)(x - 5), 2, 5$
j) $(x - 5)(x + 4), 5, -4$
k) $(x + 1)(x - 5), -1, 5$
l) $(x + 1)(x + 8), -1, -8$

Answers: P.129 — P.134

m) $(x + 7)(x - 1)$, –7, 1
n) $(x + 4)(x - 3)$, –4, 3
o) $(x + 7)^2$, –7

Q8 a) $(x – 5)(x + 3)$, 5, -3
  b) $(x + 7)(x - 2)$, -7, 2
  c) $(x + 8)(x - 2)$, -8, 2
  d) $(x + 7)(x - 3)$, -7, 3
  e) $(x + 9)(x - 4)$, -9, 4
  f) $(x + 9)(x - 5)$, -9, 5
  g) $(x – 5)(x + 2)$, 5, -2
  h) $x(x - 5)$, 0, 5
  i) $x(x - 7)$, 0, 7
  j) $x(x - 11)$, 0, 11
  k) $(x – 7)(x + 3)$, -3, 7
  l) $(x – 9)(x + 7)$, 9, -7
  m) $(x + 10)(x - 30)$, -10, 30
  n) $(x – 24)(x - 2)$, 24, 2
  o) $(x – 9)(x - 4)$, 4, 9

Q9 a) $x + 3$
  b) $x(x+3)=130$, $x=10$
  c) David is 10 years old.

Q10 $y = 5$ or –6

Q11 $x = 4$

Q12a) $x – 1$
  b) $x^2 – x$
  c) $x^2 – x – 6 = 0$
  d) $x = 3$

Q13a) x
  b) $x(x + 1)$
  c) $x^2 + x – 12 = 0$
  d) $x = 3$

Q14a) x^2
  b) $3x$
  c) $12x$
  d) $x^2 + 12x$
  e) $x^2 + 12x – 64 = 0$, $x = 4$

Solving Equations with Graphs P.131—133

Q1 a) $x = 0$ or 3
  b) $x = 1$ or 2
  c) $x = -1$ or 1
  d) $x = -2$ or 2
  e) $x = 1$
  f) $x = -1$ or 3
  g) $x = 1$ or 5
  h) $x = 2$ or 4

Q2 a) $x = 1$ or 6
  b) $x = 2$ or 5
  c) $x = 3$ or 4

Q3 a) $x = 0.38$ or $x = 2.62$
  b) $x = 0$ or 3

Q4 a)

x	–2	–1	0	1	2	3	4
x^2	4	1	0	1	4	9	16
–2x	4	2	0	–2	–4	–6	–8
–3	–3	–3	–3	–3	–3	–3	–3
$y=x^2-2x-3$	5	0	–3	–4	–3	0	5

b)

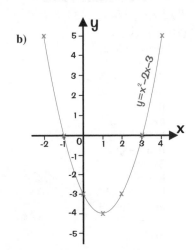

c) i) $x = -1$ or 3 **ii)** $x = 0$ or 2

Q5 a)

x	–3	–2	–1	0	1	2
x^2	9	4	1	0	1	4
x	–3	–2	–1	0	1	2
–4	–4	–4	–4	–4	–4	–4
$y=x^2+x-4$	2	–2	–4	–4	–2	2

b)

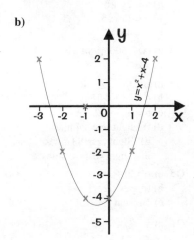

c) $x = -3$ or 2
d) $x = -2.6$ or 1.6

Q6 a) – 1.7, 0, 1.7
  b) $x = -2$ or 1
  c) $x = -1$ or 2

Q7 a) $x = -1.4$, 0, 1.4
  b) $x = -2$
  c) $x = -1.6$, 0.8

Q8 a)

x	–2	–1.5	–1	–0.5	0	0.5	1	1.5	2
x^3	–8	–3.375	–1	–0.125	0	0.125	1	3.375	8
–2x	+4	+3	2	+1	0	–1	–2	–3	–4
+1	+1	+1	+1	+1	+1	+1	+1	+1	+1
$y=x^3-2x+1$	–3	0.6	2	1.9	1	0.1	0	1.4	5

b)

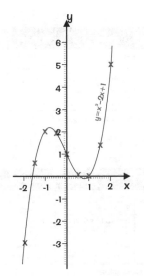

b) $x = -1.8$
c) $x = -1.4$, $x = 0$, $x = 1.4$

Trial and Improvement P.134—135

Q1

Guess (x)	value of x^3+x	Too large or too small
2	$2^3+2=10$	Too small
3	$3^3+3=30$	Too large
2.6	$(2.6)^3+2.6=20.2$	Too small
2.7	$(2.7)^3+2.7=22.4$	Too small
2.8	$(2.8)^3+2.8=24.8$	Too large

∴ To 1 d.p the solution is <u>x=2.8</u>

Q2

Guess (x)	value of x^3-x	Too large or too small
3	$3^3 – 3=24$	Too small
4	$4^3 – 4=60$	Too large
3.2	$(3.2)^3 – 3.2=29.6$	Too small
3.3	$(3.3)^3 – 3.3= 32.6$	Too small
3.4	$(3.4)^3 –3.4=35.9$	Too large
3.35	$(3.35)^3 –(3.35)=34.25$	Too large

∴ To 1 d.p the solution is <u>x=3.3</u>

Q3

Guess (x)	value of $3x-x^3$	Too large or too small
–4	$3(-4) – (-4)^3 =24$	Too large
–3	$3(-3) – (-3)^3 =18$	Too small
–3.1	$3(-3.1) – (-3.1)^3 =20.5$	Too large
–3.05	$3(-3.05) – (-3.05)^3 =19.2$	Too small

∴ To 1 d.p the solution is <u>x=-3.1</u>

Q4

Guess (x)	value of $2x^3 - x$	Too large or too small
2	$2(2)^3 - 2 = 14$	Too small
3	$2(3)^3 - 3 = 51$	Too large
2.8	$2(2.8)^3 - 2.8 = 41.1$	Too large
2.7	$2(2.7)^3 - 2.7 = 36.7$	Too small
2.75	$2(2.75)^3 - 2.75 = 38.9$	Too small

∴ To 1 d.p the solution is x=2.8

Q5

Guess (x)	value of $x^3 - x^2$	Too large or too small
1	$1^3 - 1^2 = 0$	Too small
2	$2^3 - 2^2 = 4$	Too large
1.1	$(1.1)^3 - (1.1)^2 = 0.121$	Too small
1.4	$(1.4)^3 - (1.4)^2 = 0.784$	Too large
1.3	$(1.3)^3 - (1.3)^2 = 0.507$	Too small
1.35	$(1.35)^3 - (1.35)^2 = 0.638$	Too small

∴ To 1 d.p the solution is x=1.4

Q6

Guess (x)	value of $x^3 - x^2 + x$	Too large or too small
2	$2^3 - 2^2 + 2 = 6$	Too small
3	$3^3 - 3^2 + 3 = 21$	Too large
2.1	$(2.1)^3 - (2.1)^2 + 2.1 = 6.95$	Too small

To 1 d.p the solution is x=2.1

Q7

Guess (x)	value of $2x^3 - x^2$	Too large or too small
2	$2(2)^3 - 2^2 = 12$	Too small
3	$2(3)^3 - 3^2 = 45$	Too small
3.2	$2(3.2)^3 - (3.2)^2 = 55.296$	Too large
3.1	$2(3.1)^3 - (3.1)^2 = 49.972$	Too small
3.15	$2(3.15)^3 - (3.15)^2 = 52.589$	Too large

∴ To 1 d.p the solution is x=3.1

Q8

Guess (x)	value of $x^3 + x^2 - 4x$	Too large or too small
-3	$(-3)^3 + (-3)^2 - 4(-3) = -6$	Too small
-2	$(-2)^3 + (-2)^2 - 4(-2) = 4$	Too large
-2.1	$(-2.1)^3 + (-2.1)^2 - 4(-2.1) = 3.549$	Too large
-2.2	$(-2.2)^3 + (-2.2)^2 - 4(-2.2) = 2.99$	Too small
-2.15	$(-2.15)^3 + (-2.15)^2 - 4(-2.15) = 3.3$	Too large

∴ To 1 d.p the solution is x=-2.2

Guess (x)	value of $x^3 + x^2 - 4x$	Too large or too small
-1	$-1 + 1 + 4 = 4$	Too large
0	$0 + 0 - 0 = 0$	Too small
-0.8	$(-0.8)^3 + (-0.8)^2 - 4(-0.8) = 3.328$	Too large
-0.7	$(-0.7)^3 + (-0.7)^2 - 4(-0.7) = 2.947$	Too small
-0.75	$(-2.15)^3 + (-2.15)^2 - 4(-2.15) = 3.3$	Too large

∴ To 1 d.p the solution is x=-0.7

Guess (x)	value of $x^3 + x^2 - 4x$	Too large or too small
1	$1 + 1 - 4 = -2$	Too small
2	$8 + 4 - 8 = 4$	Too large
1.9	$(1.9)^3 + (1.9)^2 - 4(1.9) = 2.869$	Too small
1.95	$(1.95)^3 + (1.95)^2 - 4(1.95) = 3.417$	Too large

∴ To 1 d.p the solution is x=1.9

Rearranging Formulas
P.136—137

Q1 a) $x = y - 4$
  b) $x = (y-3)/2$
  c) $(y+5)/4 = x$
  d) $b = (a-10)/7$
  e) $z = (w-14)/2$
  f) $(s+3)/4 = t$
  g) $x = (y-\frac{1}{2})/3$
  h) $x = 3-y$
  i) $q = 4 -p$
  j) $y = 12-f$
  k) $x = (4-y)/2$
  l) $z = (8-x)/3$
  m) $h = (10-g)/4$
  n) $x = y/5 - 2$
  o) $t = s/3 - 4$
  p) $b = a/3 + 2$
  q) $c = 2d - 4$
  r) $f = e/5 + 3$
  s) $h = -g - 2$
  t) $k = 3 + j/2$

Q2 a) $x = 10y$
  b) $t = 14s$
  c) $b = 3a/2$
  d) $e = 4d/3$
  e) $g = 8f/3$
  f) $x = 5y -5$
  g) $x = 2y + 6$
  h) $b = 3a +15$
  i) $d = 4c -12$

Q3 a) $(w - 500m)/50 = c$
  b) 132

Q4 a) i) £38   **ii)** £48
  b) $c = 28 + 0.25n$
  c) $n = 4c - 112$
  d) i) 1 light year, 24 miles.
    ii) 1 light year, 88 miles.
    iii) 2 light years, 2 miles.

Q5 a) $p = 2l + 2w$
  b) $(p - 2w)/2 = 1$
  c) 14.5 cm

Q6 a) $x = \sqrt{y}$
  b) $b = \sqrt{a/2}$
  c) $q = \dfrac{\sqrt{p}}{2}$
  d) $e = \sqrt{d-1}$
  e) $x = \sqrt{y+2}$
  f) $x = y^2$
  g) $x = (y - 1)^2$
  h) $b = (a + 2)^2$
  i) $x = y^2 - 3$
  j) $x = \sqrt{y} -2$
  k) $t = \sqrt{s} +3$
  l) $x = \sqrt{y}/2$

m) $q = \sqrt{p}/3$
n) $s = 2\sqrt{r}$
o) $b = 3a + 2$
p) $x = 2y - 5$
q) $g = 2f - 5$
r) $z = 5 - 2w$

Q7 a) $r = C/2p$
  b) $r = \sqrt{\dfrac{A}{p}}$
  c) $u = V-at$
  d) $t = \dfrac{V - u}{a}$
  e) $h = 3v/x^2$
  f) $x = \sqrt{\dfrac{3v}{h}}$
  g) $v = \sqrt{\dfrac{2E}{m}}$
  h) $a = \dfrac{v^2 - u^2}{2s}$
  i) $g = v^2/2h$
  j) $C = 5(F - 32)/9$
  k) $R = 100I/PT$
  l) $l = g(t/2p)^2$

Q8 a) Paid $= J \times x$
  b) Profit $= T - Jx$
  c) $J = (T - P)/x$
  d) £16

Q9 a) i) £2.04   **ii)** £3.48
  b) $c = 12x + 60$
  c) $x = (c - 60)/12$
  d) i) 36   **ii)** 48   **iii)** 96

Q10 a) 84
  b) $f = n/3 - 2v$
  c) $4m^2$
  d) $v = \frac{1}{2}(n/3 - f)$
  e) $v = 4m^2$

Simultaneous Equations
P.138—140

Q1 $4 \times 3 + 4 = 16$ $2 \times 3 - 4 = 2$

Q2 $3 \times 4 - 4(-2) = 20$ $5 \times 4 + 2(-2) = 16$

Q3 $0 - 2 \times (-5) = 10$ $3(-5) + 0 = -15$

Q4 $y = 0$

Q5 $x = 4$

Q6 $y = 2$

Q7 a) $x = 2, y = 1$
  b) $x = 7, y = 5$
  c) $x = 1, y = 3$
  d) $x = 1, y = -1$
  e) $x = 4, y = 3$

Answers: P.138 — P.142

f) x = 1, y = 0
g) x = 4, y = 2
h) x = ½, y = –⅓
i) x = 4, y = –1
j) x = 1, y = 9
k) x = 1, y = –2
l) x = 2, y = 1
m) x = –1, y = 1
n) x = –1, y = –1

Q8 a) x = –1, y = 2
b) x = 2, y = 7
c) x = -0.2, y = 3.6
d) x = 2, y = 5
e) x = 2, y = 0
f) x = –4, y = –5
g) x = –2, y = 4
h) x = 3, y = –1
i) x = –4, y = 3
j) x = –4, y = 9
k) x = 2, y = 6
l) x = –½, y = 4

Q9 a) x = 2, y = 3
b) x = 3, y = –2
c) x = 2, y = 3
d) x = 6, y = –2
e) x = 43, y = –63
f) x = 2, y = 0
g) x = 12, y = –1
h) x = 5, y = 3
i) x = –1, y = –2
j) x = 3, y = 2
k) x = 1, y = 2
l) x = 3, y = 1

Q10 a) x = 5, y = –1
b) x = 1, y = 3
c) x = –1, y = 6
d) x = 2, y = 3
e) x = 3, y = 1
f) x = 1, y = 1
g) x = 4, y = 2
h) x = 4, y = 1
i) x = 1, y = 5
j) x = 8, y = 2
k) x = –1, y = 3
l) x = 1, y = 4

Q11 a) x = ½, y = –3
b) x = 0, y = –1
c) x = 3, y = –1
d) x = 0, y = 3
e) x = –1½, y = 4
f) x = 2, y = 5
g) x = 26, y = 17
h) x = 3, y = 5

Q12 a) x + y = 15
   x – y = 3 (or y – x = 3)
b) x = 9, y = 6 (or x = 9, y = 6)

Q13 x + y = 4, x – y = 12 (or y – x = 12)
   x = 8, y = –4 (or x = –4, y = 8)

Q14 a) 6x + 5y = 430   4x + 10y = 500
b) x = 45 y = 32

Q15 Apples = 17p, Oranges = 22p

Q16 3y + 2x = 18   x = 0, y = 6
   y + 3x = 6

   4y + 5x = 7   x = 3, y = -2
   2x – 3y = 12

   4x - 6y = 13   x = 2½, y = –½
   x + y = 2

Q17 a) 4c + 2t = 480, 3c + 5t = 605
b) c = 85, t = 70

Q18 a) x + y = 12, y + 4 = 11
b) x = 5, y = 7
c) 1320cm³

Q19 5m + 2c = 344, 4m + 3c = 397
   m = 34p, c = 87p

Simultaneous Equations with Graphs P.141—142

Q1 a) x = 3, y = 3
b) x = –4, y = 6
c) x = 3, y = 3
d) x = 0, y = 6
e) x = –2, y = 3
f) x = 4, y = –5

Q2

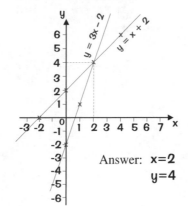

x	–2	0	4
y = x+2	0	2	6

x	0	1	2
y = 3x–2	–2	1	4

Answer: **x=2**
y=4

Q3

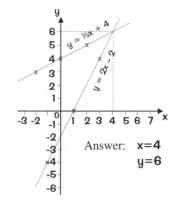

x	–1	1	3
y = 2x-2	–4	0	4

x	–2	0	2
y = ½x+4	3	4	5

Answer: **x=4**
y=6

Q4

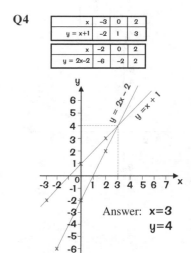

x	–3	0	2
y = x+1	–2	1	3

x	–2	0	2
y = 2x-2	–6	–2	2

Answer: **x=3**
y=4

Q5

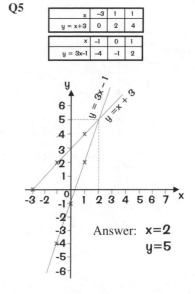

x	–3	1	1
y = x+3	0	2	4

x	–1	0	1
y = 3x-1	–4	–1	2

Answer: **x=2**
y=5

Answers: *P.142— P.144*

Q6

x	−2	0	1
y = 2x+3	−1	3	5

x	−3	0	4
y = x−1	−4	−1	3

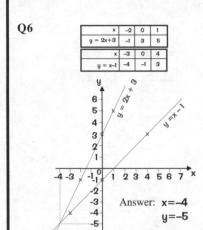

Answer: x=−4
y=−5

Q7

x	−3	−2	0
y = 2−x	5	4	2

x	−2	0	4
y = ½x−1	−2	−1	1

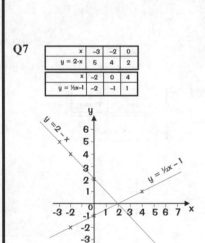

Answer: x=2
y=0

Q8

x	−3	0	2
y = x−1	−4	−1	1

x	−2	0	2
y = ½x+½	−½	½	1½

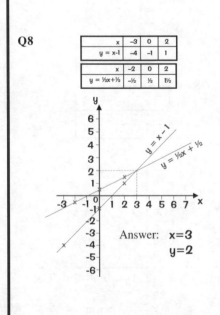

Answer: x=3
y=2

Q9

x	−3	0	3
y = 1−x	4	1	−2

x	−1	0	1
y = 3−2x	5	3	1

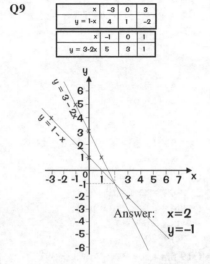

Answer: x=2
y=−1

Q10

x	1	2	3
y = 4x−6	−2	2	6

x	−3	0	3
y = 3+x	0	3	6

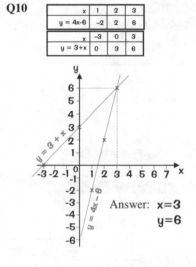

Answer: x=3
y=6

Q11

x	−3	−1	26
y = x−2	−5	−3	0

x	−2	0	2
y =½x+1	0	1	2

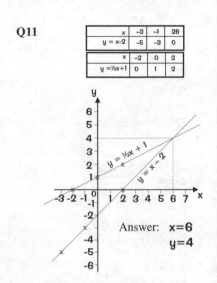

Answer: x=6
y=4

Travel Graphs P.143-145

Q1
a) AB
b) BC
c) 1 hour
d) 1 hour
e) 8 miles
f) 8 mph
g) 10am
h) 2 miles
i) 1/4 hour
j) 6 miles
k) 12mph
l) 11am
m) She had a puncture or any reasonable answer.

Q2
a) 9.45 – 10am
b) 8 km/h
c) 15 minutes
d) Slowed down
e) 6 km/h
f) 2 km/h
g) 4 km
h) 4 km/h
i) He was running downhill.

Q3
a) 12 noon
b) 12:15
c) Mr Smith
d) Mr Smith – 72 mph
e) Mr Smith – 20 mins
f) Any sensible answer.
g) They arrived at the same time
h) They passed going in opposite directions.

Q 4
a) 75 miles
b) 10 am, 15 mins
c) 75 mph
d) 100 mph
e) ½ hour
f) 75 miles
g) 100 mph
h) 12 noon

Answers: P.144— P.148

i) 15 mins
j) 66.7 mph
k) 62.5 mph
l) 1 hour
m) 83.3 mph

Q5 a) Mehmet
b) David
c) Andrew, 60m
d) 4 seconds
e) Speeded up
f) Constant
g) 44 s
h) 3.6 ms^{-1}
i) about 43 s

Q6

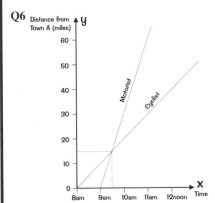

Distance from Town A (miles)

Motorist, Cyclist

a) 9.30am
b) 15 miles

Q7

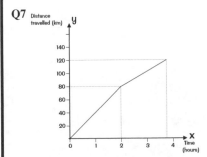

Distance travelled (km)

average speed=32 km/h

Q8 a) She walked for ½ hour, stopped for 15 mins, walked quickly for 15 mins, stopped for ½ hour then walked for ½ hour.
b) ½ hour
c) 16 mph
d) 4 miles

Inequalities P.146—147

Q1 a) $0 \leq x \leq 4$
b) $-1 \leq x < 3$
c) $9 < x \leq 13$
d) $-3 < x < 1$
e) $-4 \leq x$
f) $x < 5$
g) $0 < x < 2$

h) $-15 \leq x \leq -14$
i) $25 < x$
j) $-1 < x \leq 3$
k) $0 < x < 5$
l) $x < 0$

Q2

Q3

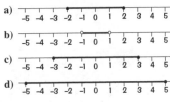

Q4 a) $x \geq 8$
b) $x > -5$
c) $x > 3$
d) $x \leq 13$
e) $x \geq 10$
f) $x > -1/5$
g) $x \geq 7$
h) $x > 40$
i) $x \leq 3$
j) $x \leq 8$

k) $x < 4$
l) $x \leq 5$
m) $x \leq 6$
n) $x \geq 7\frac{1}{2}$
o) $x < 4$

Q5 a) $x \leq 10$
b) $x \geq 9$
c) $x < -6$
d) $x > -4$
e) $x > 5$
f) $x < -2$
g) $x > 13\frac{1}{2}$
h) $x > -12$
i) $x > 3$
j) $x < 7$
k) $x < 4$
l) $x \geq 3$
m) $x > 11$
n) $x \leq 5$
o) $x \geq 2$

Q6 $2x + 5 < 15$
$x < 5$

Q7 $1130 \leq 32x$, 36 classrooms

Q8 $300 \geq 12x$, 25 guests

Q9 a) $x \geq -10$
b) $x > 1$
c) $6x < 15, x < 5/2$
d) $2x \geq -1, x \geq -1/2$
e) $x \leq -8$
f) $x \leq -10$
g) $x \leq -2$
h) $x > 5$
i) $x < -12$
j) $x \geq -4$
k) $x < 15$
l) $x \geq -2$

Graphical Inequalities P.148

Q1 a) $x + y \geq 4$
b) $x + y > 2$
c) $y \leq x - 1$
d) $3y \geq 3 - 2x$